¿Por qué ese idiota
es rico y yo no?

¿Por qué ese idiota es rico y yo no?

ROBERT SHEMIN

Traducción
María Andrea Giovine

Grijalbo

¿Por qué ese idiota es rico y yo no?

Primera edición: julio, 2008

D. R. © 2008, Robert Shemin

D. R. © 2008, traducción: María Andrea Giovine

D. R. © 2008, derechos de edición mundiales en lengua castellana:
Random House Mondadori, S. A. de C. V.
Av. Homero No. 544, Col. Chapultepec Morales,
Del. Miguel Hidalgo, C. P. 11570, México, D. F.

www.randomhousemondadori.com.mx

Comentarios sobre la edición y contenido de este libro a:
literaria@randomhousemondadori.com.mx

ISBN 978-970-810-495-1

Impreso en México / *Printed in Mexico*

Dedico este libro a mi hijo, Alexander

ÍNDICE

AGRADECIMIENTOS

Nunca nadie consigue el éxito solo y la creación de este libro no es la excepción. Me gustaría tomar este espacio para reconocer y agradecer a todas las personas que se reunieron como un asombroso equipo para traerlo a la vida.

A Edita Kaye, mi amiga y socia en esta empresa, sin cuya visión, impulso y brillante trabajo duro, este libro no habría tenido lugar. Ella fue fundamental para aclarar el concepto original, refinar la propuesta, buscar al mejor agente literario del mundo y servir como socia al momento de la escritura. Edita está tan dedicada y comprometida como yo en ayudar a millones de personas a vivir una vida perfecta, con la riqueza de todos los regalos del Universo.

A Larry Kirshbaum, mi agente literario. Creíste en mi mensaje y compartiste conmigo tus asombrosos talentos editoriales y visiones a cada paso del camino. Tu profesionalismo, ánimo y entusiasmo hicieron que este proyecto fuera un placer. Tú sacaste lo mejor de este libro. Me siento orgulloso de poderte llamar mi agente y mi amigo.

A Rick Horgan, mi brillante y agudo editor en Crown Publishers. Gracias por tu fe y entusiasmo en este libro. Tus notables sugerencias y comentarios editoriales, junto con tu agudo lápiz, dieron enfoque y claridad al manuscrito. Has sido una influencia positiva en este proceso y te agradezco tu dedicación para transmitir al mundo este mensaje de riqueza.

A Barbara McNichol, mi correctora de estilo y ángel editorial. Gracias, Bárbara, por tu acervo de información y tu paciente atención en los detalles, así como por revisar y volver a revisar los hechos. Tu agudo ojo editorial y tu habilidad profesional han contribuido en gran medida a la última pulida del libro.

También deseo agradecer al equipo de Crown Publishers, cuyo entusiasmo por el proyecto y creatividad para llevarlo a los lectores no tienen rival. Quiero agradecer especialmente a Tina Constable, vicepresidenta y editora en Crown; a Kristin Kiser, directora editorial; a Philip Patrick, editor en Three Rivers Press y director de mercadotecnia en Crown; a Donna Passannante, directora de mercadotecnia; a Christine Aronson, directora de publicidad; a Tara Delaney Gillbride y Sarah Breivogel, gerentes de publicidad; a Linda Kaplan, directora de derechos subsidiarios; a Shawn Nicholls, gerente de mercadotecnia en línea y a todas las demás maravillosas personas que trabajan para Crown, quienes trabajaron muy duro para este libro.

Verena Wagner, mi dedicada asistente, también merece un agradecimiento. Ella mantiene bien organizada mi vida y mi agenda bien programada y se asegura de que cuando estoy de viaje haciendo presentaciones, o cuando estoy en casa asesorando, mi vida profesional marche sin ningún problema.

A Bill Zancker, fundador y presidente ejecutivo de The Learning Annex, gracias por todas las excelentes oportunidades de ayudar a tanta gente en todo el país y gracias a Samantha Del Canto, vicepresidenta ejecutiva, por tu entusiasmo y apoyo incesantes.

A Brian McAdams, vicepresidente de EMS y a todas las personas especiales que me han ayudado y apoyado: Derek, Bruce, Cindi, Chad y Lona siempre estuvieron ahí para mí.

Gracias a David Early, director ejecutivo de Dynetech, por todos los seminarios y la promoción, así como a Larry Pino, director ejecutivo y fundador, y a todas las demás personas especiales que trabajan en Dynetech.

Quiero agradecer especialmente a mis excelentes amigos y colegas de Idiotas Ricos: Dan Davidson, Anthony Cherry, y Patrick y Kerry James.

El doctor Albert Lowry merece un enorme agradecimiento por ser un excelente amigo y maestro.

También quisiera agradecer a mi familia. Mis padres, Lillian y Jules Shemin, así como a Randy, Kim y Rochelle. Gracias por estar ahí.

Reb Chaim, gracias. Me has ayudado en formas de las que ni siquiera se puede llevar la cuenta.

A mi demás excelentes amigos, mentores y maestros, entre quienes se encuentra, pero no únicamente, Lisa Delman, quien me presentó con gente que me cambió la vida; a Master Tseng por sus grandes enseñanzas; al doctor Richard Hirsch por mantenerme risueño y saludable.

Gracias a Paul Bauer y a todas las asociaciones de inversionistas en bienes raíces y, en especial, a los más de un millón de personas y estudiantes que se tomaron el tiempo para escucharme hablar.

Y a ti, que estás leyendo esto, quiero darte las gracias por la oportunidad, porque sin ti nada de esto habría sucedido.

¡Léeme primero!

Siempre hay espacio en la cima.

DANIEL WEBSTER

¿Entendiste? *Siempre* hay espacio en la cima.

Felicidades. Acabas de dar tu primer paso en la escalera que te llevará a donde siempre quisiste estar. Ya conoces el viaje hacia arriba del que estoy hablando. Es el viaje en el que empiezas solo, en la oscuridad, al inicio de la escalera con unos pantalones de mezclilla andrajosos y una playera. Para el momento en que llegas al último escalón ya estás vestido con ropa de diseñador, vas del brazo de una atractiva pareja, hay una orquesta completa tocando, las burbujas de champaña están por todos lados, billetes de alta denominación flotan desde el techo y hay fuegos artificiales para el gran final.

Sin embargo, no se trata de una película. Esto es real. Y al comprar este libro acabas de hacer una de las cosas reales más inteligentes que harás en tu vida.

Probablemente no te sientas así. Más bien, es probable que tengas miedo de que éste termine siendo otro libro sobre "cómo hacerse rico lo más rápido posible y con el menor esfuerzo posible", como la otra docena que ya has comprado, leído y desechado. Comprendo tu escepticismo. Y, sin embargo, sé que cuando estés dando vuelta a estas páginas llegará un punto en el que la luz comience a aparecer.

Me encantaría ver tu cara cuando "entiendas" esa cosita tan simple que estabas haciendo mal y que ha bloqueado la verdadera riqueza para ti. Me encantaría ser una mosca en la pared cuando suspires y digas "qué maravilla". Ése es el momento en que descubrirás que ya te "has hecho rico" en tu interior, que ya lo tienes en ti y que lo único que tienes que hacer es dejarlo salir.

Desearía poder ser invisible y sentarme en tu mesa o estar en la sala de descanso de tu oficina cuando empieces a compartir con tus amigos y compañeros de trabajo los siete secretos que en realidad supiste todo el tiempo, pero que de alguna manera "olvidaste" bajo el peso de vivir la vida día con día y llegar a fin de mes. Desearía poder estar ahí cuando empieces a subir la escalera para encontrarte con tu riqueza futura.

Permíteme darte un vistazo de lo que vas a experimentar a medida que te claves más en este libro. ¿Estás listo? He dividido este libro en tres partes realmente simples.

1. La primera es "En sus marcas". Ésta es la parte que te coloca en el espacio del "idiota rico" más rápido.
2. La segunda parte es "Listos". El material en esta sección es como un diagrama de la riqueza. Una vez que programes tu camino de la riqueza, tendrás un acceso directo a los ricos.
3. La tercera parte es "Fuera". Aquí es donde jalas el gatillo, disparas ¡y le das al blanco!

Permíteme explicarte cada una de las partes anteriores de manera más detallada.

Primera parte

De entrada en el capítulo I vas a aprender una cosa sobre ti mismo que te ha estado manteniendo en bancarrota. Y vas a aprender cómo desbloquearla. Sin esperar.

Pero aún hay más. Vas a descubrir lo fácil que es convertirte en un idiota rico. Te vas a dar de cachetadas cuando te des cuenta de que has tenido la semilla de un idiota rico dentro de ti (como la tenemos todos) todo el tiempo y que habrías podido ser un idiota rico desde hace años. Pero como dijo el famoso escritor George Eliot: "Nunca es demasiado tarde para ser aquello en lo que habrías podido convertirte". Así que te mostraré exactamente qué sucedió con esa semilla de riqueza potencial, por qué nunca creció ni rompió la tierra para estirarse hacia el sol de la riqueza. También te mostraré cómo puedes enriquecer esa semilla de manera rápida y fácil, desbloqueando su potencial.

No te preocupes por tener que aprender muchas cosas. Rápidamente verás que este libro "Idiota rico" no se trata de aprender, sino de *desaprender*. Vas a desaprender todas las cosas que te han atrapado en una vida limitada a recibir un cheque quincenal.

Espera a que hagas la "Prueba del idiota rico". Es la prueba de la jirafa y el refrigerador. Tus respuestas determinarán qué tan rápido puedes hacer la transición de un automóvil con ocho años de antigüedad, dos hipotecas y tres empleos a un automóvil deportivo último modelo, una casa fabulosa ¡y ningún empleo!

Para cuando hayas terminado de leer el primer capítulo, sabrás cómo completar esta oración clave: "Los idiotas ricos no trabajan por dinero, ¡trabajan por _____!"

También sabrás cómo me convertí en un idiota rico. Aquí, te revelaré secretos que nunca antes he compartido con nadie, ni siquiera con los cientos de miles de personas que asisten a mis seminarios ni con los cientos de miles de personas que han leído mis libros anteriores. Son historias que he guardado sólo para ti.

Si el primer capítulo abre tu mente a la riqueza es sólo el comienzo, el segundo capítulo abre tu corazón y tu alma.

No existe ni un solo idiota rico que no haya seguido las leyes espirituales de la riqueza. Y cuando uso el término "leyes espirituales" no pienses que me estoy refiriendo a "tonterías" que simplemente te puedes saltar. Hay verdadero poder ahí. Rompe esas leyes espirituales de la riqueza y seguirás quebrado. Cree en ellas, ten fe en ellas, síguelas y tus recompensas serán ilimitadas.

Segunda parte

Esta parte trata por completo de ti y de tu camino personal hacia la riqueza.

Te garantizo que te sorprenderás mucho cuando leas sobre los idiotas ricos y sus metas. No lo vas a creer. Todas esas metas que has estado escribiendo durante años… yo te voy a decir por qué no las estás alcanzando.

A partir de ahí, te voy a mostrar cómo vivir tu vida como rico justo ahora. Cuando digo *justo ahora* me refiero a hoy. No sólo te voy a mostrar exactamente qué hacer para vivir de inmediato como un idiota rico, te voy a demostrar que si *no* comienzas a vivir como rico hoy, las probabilidades indican que no te harás rico en el futuro. Después, te voy a contar el secreto del poder O. P. (Poder de Otras Personas). Te voy a ayudar a encontrar a las personas que serán tus "ángeles" de la riqueza.

Para cuando hayas terminado esta parte del libro, vas a lucir como un idiota rico, vivirás como ellos, te vestirás como ellos, viajarás como ellos y tendrás tu propio grupo de amigos y ayudantes de idiotas ricos. Habrás entrado en el círculo de oro. Estarás listo para la tercera parte, donde alcanzarás el estatus completo de idiota rico.

Tercera parte

En esta parte vamos a jalar el gatillo. Te vas a convertir en miembro del "Club de idiotas ricos", con todos los atributos. En la tercera parte vas a empezar a subir por esa fantástica escalera (dos, hasta tres escalones a la vez) y yo voy a estar ahí, ¡esperándote para recibirte en la cima!

Ya puedo oír *peros* y expresiones de incredulidad y quiero callarlos aquí y ahora. No hay *peros* ni incredulidades. Sé que estás leyendo este libro mientras hay una enorme pila de cuentas por pagar. Sé que puede que estés muy endeudado. Sé que probablemente estás cansado de presiones económicas y quizás estés incluso un poco asustado. ¿Que cómo lo sé? Porque yo he estado ahí y (oh sorpresa) también todos los idiotas ricos que conozco. Así que relájate. Si estás quebrado, muerto de preocupación, endeudado, o simplemente frustrado en relación con tu posición económica, no hay problema. ¡No significa otra cosa que estás en camino de convertirte en uno de nosotros!

Lo primero que voy a hacer en la tercera parte es sacarte de las deudas. Y no quiero escuchar ninguna objeción. Está bien, te endeudaste, malas noticias. La *buena* noticia es que puedes salir de tus deudas. He ayudado a miles y miles de personas que estaban tan abrumadas, exhaustas y asustadas como tú.

Una vez que nos hayamos encargado del asunto de las deudas, voy a hablar de algo muy importante llamado activos. Todos sabemos lo que son los activos, pero ¿cuáles son los tres mejores y cómo los consigues... rápido? Cubriré todo eso y luego te diré cuáles son las cuatro "D" mortales, los enemigos de los activos del idiota rico y cómo terminar con ellas antes de que ellas terminen contigo.

Pero no me detendré ahí. A continuación, te voy a conducir por el capítulo de la acción. Aquí se trata de "actuar". Aquí es donde estás de pie al borde de un trampolín. Estás totalmente aterrorizado. La piscina de la riqueza parece estar muy abajo. Parece que te la perderás por completo. No quieres saltar. Así que voy a colocarme atrás de ti y te voy a dar ese empujoncito.

¿Qué va a suceder? Vas a llevar a cabo un clavado perfecto y cuando salgas a la superficie, ¿adivina qué? ¡Serás un idiota rico! Un poco mojado, pero un idiota rico al fin y al cabo. Y, créeme, querrás volverte a subir a ese trampolín y volver a saltar... esta vez por ti solo.

Pero tus secretos de idiota rico no terminan aquí. A mí siempre me gusta dar más y este libro no es la excepción, lo cual significa que agregaré un capítulo adicional: ¡El secreto número 8!

Pensaste que eso era todo, ¿verdad? Bueno, no. A continuación hay una cosa más que podrás llevar contigo en tu viaje de idiota rico.

Referencias de Internet

Para llegar a donde quieres, a menudo necesitarás referencias, organizaciones, *links* de Internet y números telefónicos. Así que he dispuesto la mayor cantidad posible. Úsalos. Mi página de Internet se puede encontrar en:

www.GetRichWithRobert.com (la página está toda en inglés)

De acuerdo con el Censo de Información de Estados Unidos, hay más de cuatro millones de hogares en Estados Unidos con una red que vale más de un millón de dólares.

¿Por qué no podría ser tuyo uno de ellos?

PRIMERA PARTE

En sus marcas

Pon de cabeza todo lo que siempre pensaste sobre hacerse rico

Se atreve a ser un tonto y ése es el primer paso en dirección de la sabiduría.

JAMES GIBBONS HUNEKER

LA "PRUEBA DEL IDIOTA RICO"

Te daré un vistazo de mi famosa prueba del idiota rico. Adelante. Empieza.

1. ¿Cómo pones una jirafa en el refrigerador? *C en las manos.*
2. ¿Cómo pones un elefante en el refrigerador?
3. El Rey León es el anfitrión de una conferencia animal. Todos los animales asisten a la conferencia excepto uno. ¿Qué animal no está?
4. Tienes que cruzar un río. El río está lleno de cocodrilos peligrosos. No tienes bote. ¿Cómo lo logras? *la vuelta*

¿Quieres saber cómo te fue? ¿Qué tan cerca estás de convertirte en un idiota rico? Sigue leyendo.

LOS ESCENARIOS

Nos ha pasado a todos. Estás atorado en el único carril que no se mueve cuando un tipo te rebasa en un Cadillac o un Porsche último modelo. Su Rolex brilla. De repente, lo reconoces: es el idiota que reprobó en tu escuela. Tú estudiabas mucho y sacabas puras buenas calificaciones, ahora estás sentado en un automóvil que ya tiene ocho años de antigüedad y usas una baratija de reloj. En ese momento te preguntas: "Si soy tan listo, ¿cómo es posible que ese idiota sea rico y yo no?"

O qué tal esto: tomas una copia del periódico local y ves la foto de un tipo que está estrechando la mano del gobernador. Parece que convirtió su negocio "inexistente" en una empresa con solidez. Ahora tiene intereses en toda ciudad importante en el estado y aproximadamente cinco mil personas trabajan para él. Entonces te das cuenta de que se trata de ese niño al que siempre le daban mal el cambio cuando reunía el dinero para el periódico. A ti nunca te daban mal el cambio. Sin embargo, ahora la única persona que estrecha tu mano es el empleado del supermercado encargado de saludar a los clientes. Te preguntas: "Si soy tan confiable, ¿cómo es posible que ese idiota sea rico y yo no?"

O esto: finalmente compraste tu primera casa. Tú y tu esposa apenas pueden hacer los pagos si ambos trabajan tiempo completo y dejan de lado cualquier idea de formar una familia. Un día tus amigos te llevan arrastrado a una junta sobre una oportunidad de negocio con otros trescientos esperanzados que quieren llegar a ser ricos. Entonces te das cuenta de que el tipo que está parado en el escenario, echándole billetes a la multitud, es el hijo de la vecina de tu mamá que siempre estaba pidiendo dinero a todo el mundo para comprar dulces porque nunca tenía un quinto. Tú nunca has pedido nada prestado (ni un centavo) nunca. Siempre has pagado lo tuyo. Y ahora luchas por llegar a fin de mes y lo único que *tienes* en la bolsa son unos pesos y tu moneda de la suerte. No puedes evitar preguntarte: "Si yo siempre fui tan cuidadoso con el dinero, ¿cómo es posible que ese idiota sea rico y yo no?"

Y qué tal ésta: estás parado en la fila para pagar en el supermercado y echas un vistazo a las portadas de las revistas, pensando en que te gustaría comprar algunas, pero andas corto de efectivo en este momento. Ahí, en la portada de una revista de gente de la alta sociedad, de repente la ves, una pequeña foto que luce familiar. Tomas la revista y la hojeas hasta llegar a la página. Obviamente, hay una larga historia sobre una mujer que acaba de donar una fortuna a una organización que ayuda a las mujeres a construir negocios. Sigues leyendo. Resulta que se convirtió en diseñadora de modas, creó un exitosísimo emporio de ropa por Internet y adoptó a tres huérfanos de países pobres. Más que eso, ¡logró todo a los treinta! Tú rebasas los cuarenta y uno. Lo peor de todo es que te das cuenta de que la mujer que tiene esa excelente vida era la niña rara que solías cuidar por algo de dinero. Ella es la que usaba mallas moradas con agujeros en las rodillas con una camiseta color mostaza y un saco de pijama a rayas azules, rosas y naranjas. Tú siempre te combinaste a la perfección. Todos los atuendos que usabas estaban coordinados de manera impecable. No puedes evitar preguntarte: "Si yo siempre fui tan correcto, ¿cómo es posible que esa idiota tenga esta maravillosa vida creativa y yo esté aquí parado en la fila del súper preocupándome por el precio de un par de revistas?"

Y aquí hay una más: te acaban de ascender a vicepresidente de algún puesto valioso. Sólo te costó diez años de trabajar jornadas semanales de ochenta horas y un matrimonio, pero lo

lograste. Te recompensan con un viaje a la conferencia industrial anual. Entonces tu mundo se pone de cabeza. Reconoces
al ponente principal, es el tipo que reprobó cuando estaban a
la mitad del último año de estudios. Aún peor, reconoces a la
mujer que está sentada a su lado. Se salió de la escuela porque
quedó embarazada. Los únicos a quienes no reconoces son los
tres guapos niños que están sentados junto a ellos en el escenario. Ahora toda la familia está recibiendo una ovación de pie
porque acaban de obtener un buen puesto, construir un hospital, fundar dos laboratorios y comprar leche para un país entero.
Y la pareja, de quien todo el mundo dijo que no durarían ni
seis meses, consiguió tener esta excelente familia y esta excelente
vida. Tú, por otro lado, asististe a una excelente escuela con
una beca completa y pasaste los últimos diez años tomando un
curso tras otro para poder subir en la escalera corporativa. Tu
esposa te pidió el divorcio hace cuatro años y ves a tus hijos
un fin de semana sí y uno no durante unas cuantas horas. Te
preguntas: "Si yo trabajo tanto y soy tan listo, ¿cómo es posible
que el universo esté derrochando estos regalos con personas que
rompieron todas las reglas? ¿Cómo es posible que esos idiotas lo
tengan todo y mi familia y yo no?

¿QUÉ ESTÁS HACIENDO MAL?

Conoces la pregunta: *¿Cómo es posible que ESE idiota sea rico y yo no?*
O dicho de otro modo: ¿Cómo es posible que *ese* idiota esté
viviendo la vida de tus sueños y tú no, a pesar de tu inteligencia
y trabajo duro? ¿Cómo es posible que ese idiota sea capaz de
crear un negocio mientras que tú estás desperdiciando tu vida
en algún cubículo anónimo, trabajando para una corporación

que, estás empezando a sentir, no se preocupa realmente por ti? ¿Cómo es posible que ese idiota haya sido capaz de convertir sus talentos y sus sueños en una vida de riqueza, mientras que tus talentos y tus sueños están guardados en el último rincón de tu clóset, junto con esos palos de golf que nunca has tenido tiempo de usar y ese traje de buzo que se está arruinando porque nunca te tomas ni siquiera un fin de semana libre, y mucho menos te consientes a ti y a tu familia con unas vacaciones en una isla tropical? ¿Cómo es posible que ese idiota sea capaz de mandar a sus hijos a las mejores escuelas, mientras que tú estás preocupado por pagar una escuela pública? ¿Cómo es posible que ese idiota sea capaz de proporcionar seguridad financiera a su familia, mientras que tú siempre estás luchando por llegar a fin de mes? ¿Y cómo es posible que ese idiota sea capaz de marcar una diferencia real en la vida de las personas (incluso cambiar el mundo), mientras que tú ahí la vas llevando, tan sólo como otro ser humano cada vez más insatisfecho, que cada vez debe trabajar más y que desea ser rico?

La respuesta es tan simple que da miedo.

Las cualidades que hicieron que ese chico o esa chica fueran idiotas son las mismas que los hacen ser ricos ahora. Y lo que a ti te llevó a sacar buenas calificaciones y a recibir palmadas en la espalda y todas las estrellitas es lo que te está impidiendo ser rico.

¡Tonto! Y tú que pensaste que todo era trabajo duro, seguir las reglas y nunca salirte de las líneas al dibujar.

¿Y qué puedes hacer entonces al respecto?

Este libro puede cambiar todo eso. Puede lograr que la verdadera riqueza tenga lugar para ti, el tipo de riqueza que te permite hacer lo que quieres sin preocuparte por dinero, por cuidar a tus seres queridos y por tener suficiente como para hacer del mundo un lugar mejor para los demás. Pero primero tienes que hacerte una pregunta realmente difícil: ¿En el fondo realmente quiero ser rico?

Para ser más específico, ¿estás dispuesto a hacer (o, más bien, *deshacer*) todas las cosas que te han impedido adquirir tu primera fortuna? ¿Estás dispuesto no a aprender, sino a *desaprender*, la mentalidad y hábitos de trabajo de toda una vida?

Si estás listo para poner tu mundo de cabeza, entonces estás listo para hacerte rico con Robert.

¿Por qué seguir mi guía?

Porque yo mismo comencé como uno de esos "idiotas" que, mediante un proceso de ensayo y error, tuvo bastante suerte como para descubrir los siete secretos que estoy a punto de compartir contigo y como para seguirlos hacia la riqueza.

MIS COMIENZOS COMO IDIOTA RICO

Crecí en Nashville, Tennessee, y asistí a la escuela Hillwood High. No saqué puros dieces, no fui el alumno que pronunció el discurso de despedida, ni me llovieron becas para las mejores universidades. La realidad es que me gradué prácticamente como el peor alumno de mi grupo, probablemente en el lugar 424 de 425. Mi registro de asistencia era tan malo (en mi último año de escuela falté aproximadamente treinta y siete días seguidos) que el Comité Académico llamó para revocar mi diploma, pero era demasiado tarde. Mis propios padres ya me lo habían quitado, diciendo que no lo merecía.

En realidad, mi educación no fue una pérdida total. No tenía conciencia de que, mientras yo estaba reprobando esos exámenes de la escuela media y superior, en realidad estaba puliendo lo que se convertiría en mi conjunto de "habilidades de idiota rico".

Verás, a la edad de quince años tomé un empleo como ayudante de mesero en un restaurante local. A los demás ayudantes de mesero les gustaba que los llamaran así. A mí no. Lo primero que hice fue cambiar mi título por "ingeniero de mantenimiento de mesas" Oye, no te burles. Provocaba risas... y también más respeto y mejores propinas.

Poco después había subido el escalón a mesero o, como yo me llamaba, "especialista en servicio a mesas". Ahora estaba ganando más de 800 dólares a la semana, más de lo que mis maestros ganaban en promedio en esa época.

Lo que yo no sabía entonces es que las características que mostré me traerían un éxito inmenso más adelante en la vida. Por ejemplo:

Quería control sobre mi ingreso.

Mostré orgullo en mi trabajo y me di títulos que reflejaban ese orgullo.

Valoraba el dinero en efectivo que podía ver y tocar por encima del dinero invisible de un cheque.

Aprendí cómo lidiar con la gente, desde el cocinero temperamental hasta el cliente insatisfecho.

Éstos se convirtieron en algunos de los bloques de construcción futuros de mi propia fortuna.

¿Qué hay de ti? ¿Alguna vez has gruñido por el título que ostentas y deseado que fuera más importante? ¿Alguna vez has sentido ese fajo de efectivo en tu cartera y la oleada de confianza que proporciona? ¿Alguna vez has logrado alcanzar una meta? ¿Recuerdas lo bueno que era sentir orgullo y satisfacción por tus logros? Los idiotas ricos lo sienten todo el tiempo y tú también puedes.

MI HISTORIA CON EL LOQUERO

Yo era tan idiota en la escuela que la administración decidió que debía ver un psiquiatra. El problema eran mis calificaciones. Nunca leía todo lo que nos dejaban leer. No hacía toda la tarea. Siempre hablaba en clase y no seguía las reglas muy bien que digamos. Pensaban que era un idiota. Para confirmar esta visión, me enviaron a ver al loquero de la escuela.

De lo que no se dieron cuenta fue que yo simplemente estaba aburrido con los libros que nos dejaban leer; de hecho, yo era un ávido "lector en secreto". Así que como preparación para mi primera experiencia con el psicólogo de la escuela, pedí prestados libros de psicología a mi primo que en ese entonces estaba en la universidad. Mi meta era engañar al experto. *Quería* que pensara que yo era un idiota, un loco de remate. Cuando sacó la prueba de las manchas de tinta de Rorschach, yo estaba listo. Yo había leído que los locos identifican cada mancha de tinta como un murciélago, así que señalé muchos murciélagos. El diagnóstico fue el que había predicho: "Robert es un idiota… está loco".

¿De qué manera eso me acercó a mi éxito? Gané confianza en mí mismo al saber que *era capaz* de leer, siempre y cuando el tema me emocionara y motivara. Leí libros de ciencia, matemáticas, astronomía e historia. Exploré el mundo de las ideas al devorar libros sobre filosofía y exploración. Pero mis libros favoritos eran las biografías. Me encantaba rastrear el camino de vida de personas sorprendentes.

MIS INCAPACIDADES ESCONDIDAS ME AYUDARON
A CONVERTIRME EN UN IDIOTA RICO

Después de eso, las cosas en la escuela fueron de mal en peor. Recuerdo el día en que mi maestra de mecanografía me llamó idiota. Había reprobado un examen de mecanografía por quinta vez y ella de hecho me lanzó un libro, declarando que nunca lograría nada en la vida. Yo simplemente no podía escribir a máquina. No sabía por qué cometía más errores que nadie de mi grupo. Simple y sencillamente no podía sacar bien las letras, no podía siquiera recordar dónde estaban en el teclado.

Muchos años después, supe que tenía una forma poco común de dislexia, en la cual las habilidades espaciales están dañadas. Eso significaba que yo no podría *usar* un teclado aunque practicara durante años. La misma incapacidad aseguró que no pudiera dominar las matemáticas. Hoy en día, ¡ni siquiera puedo encontrar mis propias propiedades de inversión en un mapa!

Pero aun con esta incapacidad logré poseer un imperio de bienes raíces de más de cuatrocientas propiedades y escribir diez libros que han sido éxitos de ventas. No fue sino hasta tiempo después cuando me di cuenta del regalo que esa maestra de mecanografía me había dado. Al llamarme idiota me obligó a encontrar otros caminos para alcanzar lo que deseaba. Si no podía escribir, podía hablar. Y hablar, hablar en público, me permitió ganar una fortuna. Cuando se transcribieron mis discursos y se convirtieron en libros, gané otra fortuna.

> ¡Recuerda!
> Los idiotas ricos nunca piensan ni dicen "no puedo".
> Preguntan "¿cómo puedo lograrlo?" Saca de tu vocabulario las palabras "no puedo".

El día en que puse a prueba al sistema

Sí, seguí sacando calificaciones idiotas en la escuela. Pero muy en el fondo creía que no era tan idiota como me habían hecho ser todos mis maestros. Había llegado a la conclusión de que el sistema estaba equivocado. Así que un día puse a prueba mi teoría. La tarea consistía en escribir un poema. Cuidadosamente, copié un poema de una antología que había obtenido el Premio Pulitzer en 1950 y lo entregué. De seguro, pensé, cualquier poema que hubiera ganado el afamado Pulitzer obtendría un diez de mi maestra de literatura. Error. Me lo entregaron con un seis. Cuando cuestioné el sistema de calificaciones, diciendo que era injusto y perjudicial, me suspendieron por ser… adivinaste… ¡un idiota!

En esa época, no me di cuenta de que acababa de recibir mi primera lección de etiquetas y de lo difícil que es quitarlas. Mi maestra me pegó la etiqueta de "idiota" y yo no me la podía quitar hiciera lo que hiciera. Otros maestros leían esa etiqueta y creían que era precisa. Salvo que muy en el fondo yo sabía que no era así. Me aferré a esa creencia mientras hice mi primera, después mi segunda y luego mi tercera fortuna.

Permítanme disculparme y pedir perdón por cualquier dolor que haya podido ocasionar a mis padres o maestros. Los idiotas ricos siempre se responsabilizan de sus acciones.

Pero me di cuenta de lo siguiente: *El poder de creer en uno mismo siempre vence el poder de lo que otros creen acerca de ti.*

¿Qué hay de ti? ¿Alguna vez has creído que había mucho más en ti de lo que otros parecían ver? ¿Alguna vez te dijiste: "Un día les demostraré lo que puedo lograr"? Bueno, adivina qué, ese día es hoy.

"Bebé" emprendedor encuentra el primer secreto del éxito

A la tierna edad de dieciséis años hice mi primera incursión como emprendedor. Compré un lote de camisetas a 50 centavos cada una, renté un espacio en el mercado de pulgas sabatino y comencé a venderlas en 2 dólares cada una. Pensé que era realmente inteligente, con una ganancia de casi 1.50 por playera.

Pero después de algunos sábados, me di cuenta de que vender es un trabajo duro. No sólo tomaba mucho tiempo hacer una venta, sino que la gente no paraba de desordenar mi arreglada pila de playeras. Lo peor es que estaba trabajando como burro mientras mis amigos, la mayoría provenientes de hogares más adinerados que el mío, pasaban el sábado nadando, paseando y divirtiéndose.

Algo tenía que cambiar. Tenía que ganar dinero, pero, más que dinero, tenía que ganar tiempo. Mi cerebro adolescente concluyó que necesitaba ganar la misma cantidad de dinero en la mitad de tiempo para que mis amigos más adinerados no se quedaran con todas las chicas guapas. Me estaba perdiendo lo divertido de ser adolescente porque estaba pasando mi tiempo de calidad ganando el dinero que necesitaba.

Así que se me ocurrió la brillante idea de colocar un enorme letrero en el puesto que decía "El negocio se cierra en una hora. Todo debe venderse". Como no planeaba quedarme por mucho tiempo, dejé de ordenar mi mercancía. Adivinaste: vendí más en una hora de lo que había vendido en los dos sábados pasados, sudando al sol desde las ocho de la mañana hasta las seis de la tarde. Lo que era más sorprendente, vendí más cuando mis playeras lucían como si se las hubieran arrebatado que cuando estaban ordenadas en pilas dobladas.

Me embolsé el dinero, cerré el puesto y me fui a nadar y a divertirme con mis amigos. Repetí la misma fórmula todos los sábados por más de dos años. Y todos los sábados funcionaba a las mil maravillas. Tenía el dinero y tenía el tiempo. Y, como un extra, aprendí que trabajar de manera inteligente es mejor que trabajar duro o durante muchas horas.

Fue hasta después, cuando me encontré rodeado por buenos amigos, que me di cuenta del gran valor de la lección que había aprendido en el mercado de pulgas. Había aprendido que la riqueza no se trata únicamente de dinero... se trata de tiempo. Se trata de la Vida, con mayúscula. Había aprendido lo que el dinero realmente puede comprar. Puede comprar tiempo preciado y puede comprar la vida de tus sueños. En mi caso, en esas cálidas tardes me dio el *tiempo* de desarrollar aquellas amistades que he conservado toda la vida.

MI PRIMERA DECISIÓN DIFÍCIL DE "ADULTO"

Sabía que yo era diferente, pero nunca había reflexionado sobre qué tan diferente hasta un día de gracias. Estaba trabajando en una enorme empresa llena de ejecutivos infelices y estresados a la caza de dinero y que sudaban por enriquecerse rápidamente. Fue el día en que cometí uno de los mejores "errores" de mi vida. Le había pedido a mi jefe que me diera libre el viernes después del día de gracias para poder pasarlo con mi familia. Al principio no dijo nada. Luego, me miró con frialdad y preguntó: "Robert, ¿dónde están tus prioridades?" Su tono no dejaba ninguna duda respecto del hecho de que mi respuesta decidiría mi futuro en la compañía. Luego dijo: "Es obvio que tus prioridades no son ni tu carrera ni esta empresa".

Ahí fue cuando todo encajó. Vi mi futuro: sentando en mi escritorio en la empresa, faltando a cumpleaños y aniversarios, y a todos los momentos especiales de mis seres queridos. Sin siquiera pensarlo, supe la respuesta, y las palabras simplemente escaparon de mi boca. "Tiene razón. Mis prioridades no son mi carrera. Son mi familia", contesté. En ese momento supe que tenía que dejar de trabajar para alguien más.

Ése fue el día en que abracé mi yo de idiota rico y nunca he vuelto la vista atrás. Porque ese día me di cuenta de que no se trataba sólo de dinero, se trataba también de tiempo. Se trataba de cómo quería vivir la vida que me habían dado y con quién quería hacerlo. En ese instante entendí que el dinero no valía nada si no lo podía usar como una palanca para crear más tiempo.

¿Qué hay de ti? ¿A cuántos eventos familiares has faltado a causa de proyectos de oficina y fechas límite impuestos por alguien más? ¿Cuántos cuentos de hadas no has podido leer? ¿Cuántos juegos de pelota has dejado de jugar? ¿Cuántas caminatas, cariños y abrazos has renunciado a dar por estar ocupado haciendo dinero sin hacer tiempo? No te preocupes. Este libro te mostrará de qué manera, al crear primero más tiempo para ti y tus seres queridos, puedes hacer más dinero de lo que alguna vez creíste posible… a la manera de los idiotas ricos.

> ¡Recuerda!
> Tus prioridades deben ser tu familia, tus amigos, tus relaciones y tus inquietudes espirituales,
> no tu carrera.
> Al final de todo, ¿qué más hay?

MI REUNIÓN DE PREPARATORIA NÚMERO VEINTE

Mi historia idiota más reciente sucedió en mi reunión de preparatoria número veinte. Ahí estaban todos, los estudiantes "inteligentes" con los registros de asistencia perfectos y las estrellitas
doradas, de regreso veinte años después como banqueros consu-
midos, ejecutivos corporativos frustrados y emprendedores fraca-
sados. Mis tres amigos más cercanos también estaban ahí, antiguos
idiotas académicos como yo. Uno de ellos se ha convertido en un
abogado importante, otro tiene una cadena de negocios en varios
estados y el tercero también es el dueño de un negocio autoempleado, rico y feliz.

Pero escucha, se pone mejor.

Me encontré con mi antiguo maestro. (Uno de los maestros
que pensaba que yo era un completo idiota.) Preguntó: "A ver,
Shemin, ¿qué has hecho desde que terminaste la preparatoria?"
Yo respondí: "Bueno, he escrito diez libros que son éxitos de ventas, he hablado frente a públicos de más de cincuenta mil personas
por evento en todo el país, he creado una fortuna personal en los
bienes raíces y me he retirado dos veces, la primera a los veintio-
cho años". Él me sonrió. Y mientras se alejaba escuché que decía
en voz baja: "No es posible. Shemin sigue siendo un idiota y sigue
inventando historias".

LOS IDIOTAS RICOS SON DIFERENTES

No fue sino tiempo después cuando aprecié lo importante que
había sido para mi éxito ser un idiota. Verás, yo era el *diferente*.
Hacía todo de manera equivocada. Y eso marcó la diferencia
por completo. Mi forma opuesta de hacer las cosas resultó ser

exactamente correcta. Me condujo a mi propia riqueza y éxito y también me dio algo más preciado que el dinero, me dio tiempo. Y el tiempo es la verdadera medida de la riqueza. ¿Que por qué lo digo? Porque siempre puedes hacer dinero, pero no puedes hacer más tiempo.

Escucho muchas historias de miles de personas a las que he ayudado a convertirse en idiotas ricos a través de mis seminarios y prácticamente todos los testimonios tratan sobre los momentos preciados que la riqueza ha traído consigo.

Permíteme compartir contigo algunos de esos momentos.

Ésta es la historia de Ron, prácticamente como me la contó: "Robert, hace un par de años, yo era cantinero y ganaba 12 000 dólares al año. Trabajaba todo el tiempo. No tenía vida familiar. Mi salud se veía afectada. Siempre estaba endeudado. Siempre estaba estresado. Sabía que tenía que hacer algo o perdería a la familia que tanto quería. Así que un día, justo como enseñas tú, me uní a una empresa de mercadotecnia por red. Tenía que hacerlo. No tenía otra opción. Ahora, no soy el tipo más listo del mundo. No tengo preparación. Nunca terminé la preparatoria. Así que cuando llegaron los libros con las instrucciones hice exactamente lo que decían que debía hacer. Lo hice día tras día... en las pocas horas que tenía entre un turno y otro. No pensé. Mantuve la mente concentrada en las instrucciones y el corazón concentrado en mi familia. ¡Al final del primer año había ganado 150 000 dólares! Ahora estoy en el cuarto año y estoy ganando cerca de 150 000 dólares *al mes*. Pero la mejor noticia es que tengo tiempo para estar con mi bella esposa y mis hijos. Eso es lo que me ha dado mi riqueza, el regalo del tiempo". También dijo: "Otras personas que empezaron y que eran más listas que yo renunciaron después de apenas dos meses. Yo no. Y las cosas van realmente bien".

También escuché la historia de una mujer llamada Julie. "Estábamos quebrados", me contó. "Nuestras tarjetas de crédito estaban hasta el tope. Estábamos atrasados en los pagos de la hipoteca. Ambos teníamos dos empleos y aun así no lográbamos llegar a fin de mes. Luego nuestra hija obtuvo media beca para asistir a una escuela de música. Pero no podíamos costear ese pequeño gasto adicional que haría realidad su sueño de convertirse en cantante. Sé que tienes hijos, así que podrás imaginarte cómo nos sentíamos. Éramos padres y no podíamos dar a nuestros hijos lo que merecían. Esa noche ordenamos tu programa y nunca volvimos la vista atrás. Nuestra hija recibió su educación musical y nuestros otros dos hijos pudieron asistir a escuelas excelentes. En cuanto a nosotros, nuestros problemas económicos desaparecieron y ahora tenemos el tiempo para estar juntos como familia."

EL IDIOTA QUE HABÍA EN MÍ ME HIZO RICO

Historias como ésas obligan a hacer la siguiente pregunta: ¿Qué camino *quieres* tomar? ¿Quieres ser el conformista que trabaja duro, o el idiota rico que tiene mucho dinero y tiempo para disfrutar, gastar y compartir ese dinero con los demás?

Hagamos una recapitulación de mis decisiones:

Mientras el resto de los meseros se estaban quejando por sus empleos dando un gran servicio, yo estaba puliendo mi distintivo de "ingeniero de mantenimiento de mesas", mi sonrisa y mis propinas.

Mientras que todos los demás estaban cumpliendo órdenes, yo estaba dirigiendo una serie de pequeños negocios que me dieron tanto independencia financiera como tiempo para cultivar amistades que durarían toda mi vida.

Como la tarea de lectura me aburría, felizmente me convertí en un "lector de clóset" y me puse de tarea libros sobre temas que encendían mi imaginación, deseo y motivación.

Tenía dislexia y no podía encontrar mi propia casa en un mapa, así que me sentí desafiado a encontrar otras formas de llegar a mi destino.

A temprana edad, aprecié el poder del dinero en efectivo.

Y aprendí que el dinero sólo es satisfactorio si se usa para crear el más preciado de los lujos: tiempo.

Que me llamaran idiota cuando estaba creciendo resultó un factor importante en mi éxito.

PASAR DE TENER EL LADO CORRECTO HACIA ARRIBA A ESTAR DE CABEZA

Pero basta de hablar de mí. Hablemos de *ti*. Si estás leyendo este libro, me imagino que no eres un idiota rico, eres lo que me gusta llamar uno de los LCQ: lado correcto hacia arriba y quebrado.

En lo que respecta a la riqueza, el mundo *está* de cabeza. La clave no es lo que *sabes*, es lo que *no sabes*. Las mismas habilidades que a una edad temprana te ayudaron a descubrir lo que tus padres, maestros y jefes querían, y a darlo, es lo que hizo que tus demás habilidades se atrofiaran, habilidades como marcar tu propio inicio y tu propia dirección. La sociedad individualista define que las personas "inteligentes" son buenas para cumplir órdenes, pero malas para darse órdenes a sí mismas… y *extremadamente* malas para encargarse de su propia vida. Mientras tanto, quienes nunca encajan en el sistema porque quieren dirigir el autobús ellos mismos resulta que cuentan con el grupo de habilidades perfectas para crear riqueza. Esto explica por qué ese chico que con trabajos logró irla pasando en la escuela o esa chica que usaba la ropa tan rara lograra crear negocios tan exitosos y tan buenas fortunas.

¿Qué hay de ti? ¿Piensas como un LCQ o como un idiota? Vamos a poner tu mundo de cabeza y averiguarlo. ¿Recuerdas la prueba del idiota rico justo al comienzo de este capítulo? Adivina qué. Ahora tienes que hacerla en serio.

LA PRUEBA DEL IDIOTA RICO

Lee cada pregunta con cuidado y escribe tu respuesta en el espacio que aparece a continuación antes de pasar a la siguiente pregunta.

1. ¿Cómo pones una jirafa en el refrigerador?
   Respuesta: Abres la puerta del refrigerador, metes la jirafa y cierras la puerta. Así es como lo haces. Es simple.

Si eres como la mayoría de los LCQ, tiendes a hacer cosas muy simples en una forma demasiado complicada. Tratarás de pensar en una docena de formas diferentes de llevar a cabo esa tarea sencilla (como cortar la jirafa y doblarla) y todo el tiempo estarás pensando que lo estás haciendo de la manera correcta, de la manera inteligente. Pero en realidad lo estás haciendo a la manera de los LCQ, la cual, como suele suceder, es la manera incorrecta. Ves un refrigerador. Ves una jirafa. Estás atrapado en tu forma de pensar "del lado correcto hacia arriba" que dice que "las jirafas no entran en los refrigeradores". Así que escribes fórmulas complicadas que incluyen medidas cúbicas de unidades de refrigeración. Buscas técnicas quirúrgicas de disección de jirafas. Incluso investigas refrigeradores comerciales y de consumo. Y a pesar de todo ese aprendizaje, seguirás equivocado.

El idioma rico no está abrumado por la forma de pensar de "tener el lado correcto hacia arriba". Mantiene simples las cosas. El idiota no piensa en exceso; toma el camino más directo a la solución (abre el refrigerador y mete la jirafa) y está en lo correcto.

2.   ¿Cómo pones un elefante en el refrigerador?

Respuesta: ¿Respondiste que abres la puerta del refrigerador, metes el elefante y cierras la puerta? Buena respuesta, pero equivocada. Antes de meter el elefante, tienes que sacar la jirafa. Luego pones el elefante y cierras la puerta.

Esta pregunta pone a prueba si aprendes de las repercusiones de tus acciones previas. ¿Hiciste lo mismo (la misma cosa incorrecta de LCQ), aunque la situación no había cambiado materialmente? Pero *ha cambiado*, protestas. Esta vez hay una jirafa en el refrigerador. ¿Y qué? Pregúntate a ti mismo, ¿en realidad qué *ha cambiado*? En realidad nada ha cambiado. Sigue habiendo un refrigerador y un animal de la selva. Esto debería indicarte que la misma solución en el primer ejemplo se puede aplicar a este nuevo ejemplo. El problema es que los LCQ se van directo a las gráficas. Aprenden en exceso, pero nunca aplican lo que ya saben. Lo que has estado haciendo hasta ahora está bien, pero ¿te ha llevado a donde quieres llegar? ¿Estás dispuesto a cambiar algunas cosas para llegar a donde quieres?

¿Listo para intentar con una nueva pregunta?

3.   El Rey León es el anfitrión de una conferencia animal. Todos los animales asisten a la conferencia excepto uno.

¿Qué animal no está?

Respuesta: El elefante. Acabas de ponerlo en el refrigerador, así que ¿cómo podría asistir a la conferencia?

Si eres como la mayoría de los LCQ, todo tu aprendizaje previo está obstaculizando tu manera de pensar. No relacionas lo que ya sabes. No confías en tus propias conexiones. ¿Y dónde está tu sentido del juego, la diversión y la famosa mentalidad "flexible"?

Aquí está la última. ¿Listo?

4. Tienes que cruzar un río. El río está lleno de cocodrilos peligrosos. No tienes un bote. ¿Cómo lo logras?

    Respuesta: Cruzas el río nadando. Todos los animales están en la conferencia, ¿recuerdas? Y eso incluye a los cocodrilos.

Los idiotas ricos lo entienden de inmediato. Entienden que hay menos obstáculos para su éxito, no más. Los idiotas ricos saben que los cocodrilos no están ahí. Así que no desperdician nada de energía preocupándose por ellos.

Los LCQ, por otro lado, no se enriquecen porque se preocupan por cosas que no existen, como los cocodrilos que ni siquiera están en el río. Los LCQ piensan de más, se preocupan de más y analizan en exceso hasta el punto de la inercia. Como tratan de imaginar cada cosa que podría salir mal, nunca llevan a cabo esa idea para hacer dinero ni lanzan ese negocio ni firman esa oferta por su primera inversión en bienes raíces.

Los LCQ se sientan a orillas de un río vacío en espera de cocodrilos imaginarios, mientras que los idiotas ricos lo cruzan nadando felizmente.

BIENVENIDO AL MUNDO DE CABEZA DE LA RIQUEZA

Espera, todavía no estás listo. Si actualmente eres un LCQ, probablemente estés pensando que lo de la jirafa es bastante idiota… y que con toda seguridad no es indicador de potencial de riqueza. Sigues aferrándote a las leyes que han gobernado tu vida y tu trabajo desde el inicio de tu carrera. Bueno, estoy a punto de poner de cabeza tu mundo un poco más… ¿Listo?

EL LCQ INTERIOR

Todos fuimos "idiotas" cuando éramos pequeños. Como nacimos con una curiosidad natural, nos encantaba explorar. Tomábamos el camino más directo hacia aquello que queríamos. No conocíamos el miedo ni el fracaso. Nos complacía lograr éxitos, sin importar lo pequeños que fueran. Anhelábamos los regalitos y abrazos que acompañaban cada logro, desde nuestro primer paso vacilante hasta nuestra primera palabra. Esos primeros años fueron los años "idiotas".

Y luego algo sucedió. Para ser precisos, las reglas sucedieron. De pronto, fuimos recompensados no por logros individuales, sino por adecuarnos a una serie de reglas sociales, académicas y de comportamiento cada vez más elaboradas. Explorar un camino sinuoso, mientras el resto del grupo caminaba de manera ordenada de dos en dos en un viaje escolar de campo, se volvió causa de represión severa. Jugar en un vecindario distante con amigos desconocidos hacía que nos castigaran. No pasó mucho tiempo antes de que aprendiéramos las lecciones del mundo: no corras riesgos, no hagas nada diferente, quédate cerca de casa, evita el peligro, escucha a tus mayores (y mejores). Lo único que escuchábamos era "No. Deja de hacer tantas preguntas".

La mayoría de nosotros nos prometimos hacer "lo nuestro" en cuanto creciéramos, nos independizáramos, nos graduáramos, consiguiéramos trabajo… lo que fuera. Pero la realidad es que esas molestas reglas se quedaron con nosotros a lo largo de todos los años de educación avanzada y construcción de una carrera. Nos mantuvimos en el camino adecuado. Hicimos lo esperado. Obedecimos. ¿Y cuál fue nuestra recompensa? Hoy somos personas con el lado correcto hacia arriba y quebradas… somos LCQ.

La buena noticia es que en el fondo todo LCQ es un "idiota", un idiota rico, que simplemente está esperando salir. Así que no te preocupes. Te estoy dando la llave para abrir la puerta de la prisión de modo que puedas liberar a tu idiota rico.

> ¡Recuerda!
> A menudo el niño que más aprende en la escuela es el que tiene más problemas, porque tiene que aprender a salir de ellos.

¡Vaya, no lo sabía!

¿Estás listo para vaciar tu mente y poner de cabeza tu mundo?

Tal vez no. Tal vez seas escéptico en este punto. Después de todo, ya has leído una tonelada de libros de autoayuda sobre cómo hacer dinero, pero todavía no eres rico, ¿verdad? Probablemente ni siquiera estás cerca de serlo. ¡Cuidado! Sostén tu cabeza, ¡porque estoy a punto de poner de cabeza tu mentalidad sobre la riqueza! Comenzarás a decir: "Vaya, no lo sabía" y cada vez que digas "vaya", te estarás acercando a tu propia riqueza.

¡Recuerda!
La *auto*ayuda no sirve… ¡qué tontería!

Tu primer mensaje de cabeza es el siguiente: La *auto*ayuda no sirve. ¿Entendiste? Déjame repetirlo. La *auto*ayuda *no sirve*.

Nota que el énfasis está en el *auto*, no en la *ayuda*.

Sólo piénsalo por un minuto. Si la *auto*ayuda funcionara, ya serías rico ¿no? Pero no eres rico. ¿Entonces qué hiciste? Saliste y compraste *este* libro, pensando que es otro libro de autoayuda sobre "cómo hacerse rico rápidamente".

Eso es lo que hacen los LCQ. Siguen comprando libros de autoayuda aunque la evidencia de su cuenta bancaria, o más bien la *falta* de evidencia en esa cuenta, les muestre que mucho de lo que han aprendido no está reduciendo su deuda ni aumentando su riqueza. ¿Qué es lo único que sucedió? Los LCQ están sufriendo de privación de cafeína porque están guardando su cambio en una cuenta bancaria esperando que esas pocas monedas se conviertan en una fortuna. O están ocupados usando pedazos de papel para escribir "listas de cosas por hacer para volverse rico", o están sentados mirando el infinito, tratando de "atraer" la riqueza a través del magnetismo del cosmos.

Qué suerte tienes. Tienes en las manos un libro que por fin te va a demostrar por qué todas las cosas que has estado haciendo toda tu vida *no* están funcionando. Lo primero es que debes desaprender la noción de que la autoayuda puede hacer que de un LCQ te conviertas en el idiota rico que aspiras a ser. Y no hay nada de malo en ello. No hay nada de vergonzoso, no es otra cosa que inteligente admitir que simplemente no lo entiendes. No sabes cómo pasar de donde estás a donde quieres llegar. Como tú, a mí me encantan los libros de autoayuda. Los leo todo el tiempo. Muchos de los autores son amigos míos. Pero si la autoayuda funcionara, todo el mundo sería rico. Así que detente un minuto y piensa en ello. Si *hubieras* podido hacerlo tú solo, ya lo *habrías* hecho. Si los deseos, el magnetismo y ahorrar las monedas fuera todo lo que necesitas, no estarías sentado leyendo este libro en este momento. El primer gran foco que va a iluminar tu camino es: la autoayuda no funciona porque todos necesitamos ayuda. A todos nos han enseñado a no pedir ayuda. Así que deja de reprenderte. Acéptalo. Y sigue adelante.

¡Recuerda!
Ser rico no es un deporte de espectadores.
Es un deporte de equipo.

Necesitas el poder de amigos que sean idiotas ricos... y yo voy a ser el primero de ellos.

Este libro te mostrará cómo identificar a los jugadores que conformarán tu "equipo de ensueño de la riqueza". Y te mostrará cómo cortar a los que te están frenando. Aprenderás cómo localizar mentores (guías de la riqueza) de manera fácil y rápida que ya han logrado lo que quieren y aprenderás cómo hacer que te señalen el camino a la cima. Aprenderás cómo aprovechar las ideas, el dinero, el tiempo y el talento de los demás para crear la vida que siempre has soñado. Aprenderás lo valioso que eres y cómo convertirte en un amigo rico y en un miembro de miles de equipos de idiotas ricos. (Sí, *serás* rico.)

> ¡Recuerda!
> No sólo se trata de la D de dinero, también se trata
> de la T de tiempo y de la V de vida.

¿Qué es ser *rico* después de todo? ¿Qué significa para ti ser *rico*? ¿Significa tener una casa más grande? ¿Un mejor automóvil? ¿Una oficina más grande? ¿Ropa de diseñador? ¿Diamantes? ¿Un avión privado? Adivina qué: si mencionaste cualquiera de las cosas anteriores, todavía no lo "has captado". La casa, el automóvil, la ropa, los juguetes son cosas que compras con dinero, pero no son la riqueza. Y cuanto más tiempo te aferres a la idea de que la riqueza es dinero, más tiempo seguirás siendo un LCQ y más tiempo te tomará convertirte en un idiota rico.

Antes de que comiences a protestar que *quieres* todos los juguetes, esos símbolos de estatus de la riqueza, cálmate. Puedes tenerlos. No hay nada de malo en ello. De hecho, muchos de esos símbolos de estatus hacen que la vida sea más placentera y cómoda.

Enfrentémoslo: viajar en primera clase es preferible a que te coloquen en la parte trasera del avión sin lugar donde poner las piernas y comidas de "plástico". Volar en tu propio jet es aún mejor, puesto que significa evitar las filas de seguridad y tener que mostrar tu pasta de dientes y medicinas al mundo entero.

De manera similar, llevar ropa y zapatos que te quedan bien, que han sido hechos con experiencia y con los mejores materiales, es preferible a llevar telas baratas con malas costuras o meter los pies en cualquier calzado en lugar de usar zapatos de piel.

¿Y quién puede negar que un Porsche o un Ferrari ofrecen un mejor paseo que un automóvil de precio más modesto con un diseño más conservador?

Quiero que tengas todos esos aditamentos y juguetes, pero luego quiero que sigas adelante, debido a una sencilla verdad incuestionable:

La verdadera riqueza es el tiempo. Es el tiempo para estar con tus seres queridos. Tiempo para irte tres meses de vacaciones, como hago yo. Tiempo para apoyar a quienes menos tienen.

Ahora, es verdad que puedes comprar tiempo con dinero y que cuanto más dinero tengas, más tiempo puedes comprar. Pero también es cierto que para atraer el dinero debes tener una meta de riqueza que no sea el dinero. Suena como una contradicción pero no lo es. Tener dinero no te hará un idiota rico. Tener tiempo, sí. Tiempo para hacer lo que quieras, cuando quieras y con quien quieras.

Piénsalo. Piensa lo maravilloso que sería tener tiempo para ofrecerte como voluntario en tu comunidad para ayudar a los demás, para escribir un libro, para cortar tu propio árbol de Navidad, para recoger fresas o manzanas con tus hijos, para visitar un zoológico. Todo sin tener que suplicarle a tu jefe que te dé tiempo libre o sin tener que preocuparte por el dinero que no estás ganando en las horas en que estás haciendo algo más que preocuparte.

Aprende a trabajar por tiempo, no por dinero. Al aplicar los siete secretos de este libro, verás lo fácil que llega el dinero cuando logras comprar el tiempo que quieres para tu vida perfecta.

> ¡Recuerda!
> Si piensas demasiado, terminarás quebrado.

Sé honesto: ¿Esto te describe?

Piensas demasiado cada oportunidad. Te encanta analizar. Crees que al prestar una atención extremadamente meticulosa a cada detalle estás demostrando lo listo que eres. Examinas todo lo que podría salir mal. Pasas horas estudiando cada pedazo de papel que puedes encontrar. Haces complejas tablas de probabilidades y gráficas en colores bonitos. Llenas un cuaderno tras otro con fórmulas para el éxito. Mantienes esas pilas de playeras pulcramente dobladas. Pero para cuando jalas el gatillo (si alguna vez llegas a hacerlo), la oportunidad que has estudiado con tanto cuidado ha desaparecido hace mucho tiempo y lo más probable es que la haya tomado un idiota rico.

Bueno, adivina qué. Todo se debe a que piensas demasiado. Por eso no eres un idiota rico.

Hay otro punto en esto. Si eres un LCQ, te has involucrado demasiado en tu propia inteligencia. Te resistes a dejar a un lado lo que has aprendido e incluso te niegas a adquirir nueva información. Después de todo, tú eres el que se quemó las pestañas, el que sacó puros dieces, el que asistió a todas las conferencias y no faltó a una sola clase. Después de haber hecho todo ese trabajo, el LCQ que hay en ti quiere aferrarse a lo que has aprendido, con mucha fuerza. Nunca dejas ir. Pero tu cabeza está tan llena de lo viejo que no hay espacio para nada nuevo. ¿Cuál es el resultado? Los LCQ como tú son tan rígidos y aferrados a sus formas que no pueden aceptar tan fácilmente nuevas ideas que rápidamente podrían acelerar tu adquisición de riqueza.

Ahora, no me malinterpretes. Los idiotas ricos *sí* pasan tiempo pensando. Pero no pasan mucho tiempo *aprendiendo*. Los idiotas buscan sólo lo más básico que tienen que aprender, o a quién tienen que conocer para hacerse ricos... o más ricos. Como no han invertido demasiado de su preciado tiempo, no se aferran a lo que han estudiado. Leen libros y periódicos, pero pasan más tiempo haciendo preguntas y sumando idiotas ricos a su círculo de amigos. Como siempre están buscando la siguiente oportunidad, les *encanta* la nueva información y rápidamente la suman a lo que ya sabían. Luego se deshacen de la vieja información y de las ideas que pueden ya haber expirado.

A continuación están tres formas en que los idiotas ricos recopilan conocimiento que ayuda a crear riqueza:

- Obtienen los hechos básicos. (Estoy hablando de unas pocas páginas de notas, máximo).
- Verifican esos hechos con personas que han hecho dinero al haber aprovechado una oportunidad similar.
- Toman el pulso a sus propios instintos, en los cuales confían, y se enfocan en actuar.

Luego jalan el gatillo. Al aplicar esta estrategia, un idiota rico puede aprovechar cuatro veces más oportunidades que alguien que piensa demasiado.

> ¡Recuerda!
> Ama la riqueza o piérdela

Los LCQ son esnobs en secreto; en el fondo piensan que de alguna manera son mejores que los idiotas ricos. Sabes que tengo razón. Los LCQ sienten una hostilidad secreta y profunda hacia los ricos. Quieren la riqueza, pero no quieren *ser* los ricos. Esta dicotomía obstaculiza su habilidad para salir de lleno a hacerse ricos. En lugar de atraer la riqueza, la repelen al enviar mensajes mezclados.

Esta actitud de "quiero ser rico pero soy mejor que eso" prevalece por doquiera. Toma por ejemplo la película *Titanic*. Fíjate cómo fueron representados los pasajeros pobres: simpáticos, honestos y completamente agradables. Contrasta eso con los rasgos atribuidos a los pasajeros de primera clase: fríos, calculadores y sin ética. Se suponía que debíamos *alegrarnos* de que se hundieran con el barco. Si cargas este conflicto interior, puede ser fatal para tu adquisición de la riqueza real.

Los idiotas ricos, por otro lado, aspiran a la riqueza. Quieren ser justo como las personas ricas que ven exaltadas en los medios, quieren comprar en las mejores tiendas. Quieren cenar bien, tener a sus hijos en buenas escuelas, tener hermosas casas en vecindarios seguros. Quieren dar su tiempo y su dinero para causas que valgan la pena. Quieren estar en compañía de otros idiotas ricos. Y como tienen un fuerte deseo y una meta clara, alcanzan más rápido la riqueza.

Tienes que cambiar *justo en este momento* tu mentalidad para pensar que está bien ser rico. No sólo está bien, sino que es quien eres realmente en el fondo... una persona rica. Tienes que creer que el universo completo, el gran diseño, si tú quieres, quiere que tengas abundancia para ti y que la compartas con los demás.

> **¡Recuerda!**
> Los idiotas ricos mandan su dinero a trabajar mientras
> que ellos se quedan en casa a jugar.

Éste es mi favorito. Los LCQ creen que tienen que *trabajar duro para hacerse ricos*. Eso es lo que crees tú también, ¿verdad? Crees en la ética del trabajo, en invertir horas, en sudar de sol a sol. Y eso es exactamente lo que haces. Cuando no trabajas duro, te sientes culpable. Y crees que de alguna manera no mereces tener dinero por el que no trabajaste las veinticuatro horas y los siete días de la semana, ¿cierto?

Admítelo: ¿acaso no hay un diálogo parecido al siguiente corriendo por tu mente en el momento en que estás leyendo

esto? "Ese tipo que ganó todo ese dinero con los bienes raíces...
no es realmente *rico*", declaras, "porque lo único que tiene realmente es *dinero*. Por qué, yo tengo mucho más. Oye, yo disfruto
de la serena comodidad de recoger mi cheque cada semana. No
tengo que pasar cada minuto del día buscando 'prospectos'.
No me tengo que levantar a media noche a causa de inquilinos
que quieren que se les arreglen grifos con goteras. No tengo que
lidiar con todo ese lío de los juicios hipotecarios ni ir a todos
esos horribles vecindarios a los que ese tipo debe ir para encontrar buenas propiedades. Y mi empresa me proporciona un buen
plan de salud, un seguro de vida y un plan de retiro. Además,
estoy haciendo un trabajo que representa retos para mi cerebro,
que impresiona a la gente". Este mismo tipo de diálogo racio-
naliza el no entrar al mercado o poner un negocio: "Demasiado
tiempo... demasiado ajetreo... sin red de seguridad... sin suficiente prestigio".

O qué tal el siguiente diálogo:

"Sé que la mejor amiga de mi prima segunda inició un negocio vendiendo ollas y sartenes a sus amigas y vecinas e hizo una
fortuna, pero en realidad no es *rica*. Tiene que organizar esas
fiestas, lidiar con los pedidos, las entregas, las devoluciones y los
clientes. Tiene que estar disponible por las tardes y está invirtiendo kilómetros de coche y llamadas de teléfono. Yo estoy
mucho mejor trabajando en la oficina con horarios fijos, vacaciones garantizadas y prestaciones. Aunque necesito un trabajo de medio tiempo para que mis hijos puedan tener algunos
lujos... y qué, estoy feliz así. Mi vida es organizada."

No idiotas ricos. No creen en la ética de trabajo clásica. No
creen en invertir horas de trabajo duro. Todo lo contrario. Los
idiotas ricos no quieren pasar tiempo trabajando, quieren pasar
tiempo con sus familias. Quieren participar en organizaciones

caritativas. Quieren jugar. Los idiotas ricos quieren enviar su dinero a trabajar. Y lo hacen.

De hecho, los idiotas ricos tienen un diálogo interno totalmente distinto al de los LCQ. Va más o menos así: "Sumé otra propiedad a mi portafolio y lo entregué a mi empresa de administración profesional. El trato que acabo de cerrar es por una propiedad con opción a compra, lo cual significa que obtuve una excelente propiedad con excelentes inquilinos y ellos obtuvieron una posibilidad real de convertirse en propietarios y comenzar su propio camino hacia la riqueza real... una situación donde todos ganan".

O qué tal este típico diálogo de idiota rico: "Me encanta el hecho de que no le reporto a nadie... de que puedo llevar a mis hijos al parque o al cine por la tarde... de que mi familia no se restringe a las dos o tres semanas de vacaciones que las empresas ofrecen a sus empleados y podemos irnos un mes o dos o hasta tres meses completos... Me siento seguro por no depender de un solo empleador para recibir un ingreso sino, más bien, de una serie de propiedades, acciones y bonos, fondos de inversión y mi propio negocio". El idiota rico tiene tiempo, no tiene ajetreos, cuenta con una enorme red de seguridad y tiene mucho prestigio.

Tú también lo tendrás, para cuando hayas terminado de aplicar los secretos de este libro. Porque te voy a enseñar cómo tomar el control de tu vida financiera con éxito. Te mostraré paso a paso cómo liberarte de la dependencia de una empresa y de un jefe para recibir ingresos y logros personales. Te mostraré cómo encontrar seguridad para tomar tus propias decisiones, dirigir tu propio dinero, ser tu propio jefe, hacer tus propias inversiones.

Te mostraré cómo empezar, qué hacer y cómo encontrar a las personas que pueden y quieren ayudarte. Te mostraré cómo reducir tus sentimientos de miedo y riesgo al tiempo que incrementas tu sentido de logro, independencia y orgullo reales. Te mostraré cómo hacer tiempo para pasarlo con tus seres queridos, tomar múltiples vacaciones, visitar lugares con los que sólo habías soñado, vivir en el tipo de casa que ves en revistas, manejar el auto de ensueño último modelo y vestir para la riqueza. Te ayudaré a ser la persona generosa, compartida y atenta que siempre quisiste ser. Te mostraré cómo convertir en realidad tus sueños financieros.

Lo único que tienes que hacer es poner las cosas de cabeza y dejar que este idiota rico te muestre el camino. Recuerda, ¡la olla de oro al final del arco iris está en la parte de abajo, no en la cima!

Y ése es tu secreto número I de idiota rico.

TU PLAN DE ACCIÓN PARA PONER TODO DE CABEZA DEL IDIOTA RICO

Sigue este plan, empezando hoy, para crear la verdadera riqueza que deseas.

I.   Pon de cabeza tu propia forma de pensar

En un cuaderno escribe la mayor cantidad de cosas que puedas sobre tus verdaderos sentimientos, emociones y actitudes hacia el dinero. En específico, escribe qué es lo que te asusta del dinero. ¿Qué crees que te ha impedido hacerte rico en el pasado?

Ahora escribe qué *deseas* en relación con el dinero. ¿Qué harías si no estuvieras tan asustado?

Escribe todas las ideas que tienes sobre el dinero y que necesitas poner de cabeza para que entre la riqueza.

2. Crea tu lista de deseos de riqueza.

Haz una lista de todas las cosas que harías si tuvieras riqueza ilimitada. No importa qué tan extravagante o aparentemente imposible sea. No importa cuántos elementos incluyas en la lista. Es tu lista privada de "riqueza para la vida".

¿Qué harías por tu familia, amigos y comunidad? ¿Qué tipo de auto manejarías? ¿Qué tipo de casa tendrías? ¿Qué causas apoyarías?

Lee la lista todas las mañanas y todas las noches. Y a medida que cada uno de tus deseos de riqueza se vuelva realidad, pon una palomita y agrega otros.

3. Consigue un talismán de riqueza.

Los idiotas ricos llevan consigo talismanes de riqueza en todo momento. Los talismanes no te hacen rico, pero te recuerdan concentrar tu energía y tus pensamientos en convertirte en un idiota rico. Un poco como el hilito que te amarras en el dedo. Los talismanes vienen en muchas formas y tamaños. El mío es un brazalete de plata que uso en la muñeca todos los días. Lleva grabado mi propio mensaje secreto de riqueza. Cada vez que lo veo me recuerda mi meta de riqueza y todos los bienes con los que ya cuento. Tú también necesitas un talismán. Puede ser un brazalete o una de las piedras semipreciosas, como el jade, que se asocia con la abundancia y los bienes, o puede ser una simple cuerda amarrada en tu dedo. Consulta mi página de Internet para más ideas www.GetRichWithRobert.com

Sigue las leyes espirituales de la riqueza

Ve lo invisible.
Siente lo intangible.
Alcanza lo imposible.

ANÓNIMO

¡Advertencia!

Si no eres una persona religiosa o espiritual y no crees,
o si simplemente te niegas a considerar la espiritualidad
como algo válido sobre lo cual escribir en un libro acerca de la riqueza, no leas este capítulo.

Si eres una persona religiosa o espiritual, por favor siéntete libre de confiar en tus propias creencias. Pero debes
saber que la mayoría de las leyes que menciono son
generales en la naturaleza, igualmente aplicables ya sea
que remitas tus creencias a Dios, Jesús, Mahoma, Buda,
la Luz, la Energía o el Universo.

Muchos idiotas ricos saben con seguridad que esas leyes
espirituales gobiernan su riqueza.

LEYES ESPIRITUALES DE LA RIQUEZA

"¿Qué es eso?", te preguntas. ¿No sabías que hay leyes espirituales que gobiernan la riqueza?

Las hay. Y son increíblemente poderosas. Rómpelas y seguirás quebrado. Síguelas y deja que la abundancia fluya hacia ti.

En el capítulo anterior aprendiste que para ser un idiota rico debes poner de cabeza tu *mentalidad*. En este capítulo aprenderás acerca de poner de cabeza tus *creencias*.

¿Por qué? Porque la riqueza está gobernada por dos series de leyes: Hay leyes físicas del dinero, pero también hay leyes espirituales.

La mayoría de los idiotas ricos cree y sigue ambas.

No te voy a engañar. Ya sabes que los idiotas ricos no se vuelven ricos por sí solos. Tienen amigos. Tienen mentores. Tienen guías. Tienen ayudantes. Los idiotas ricos aprovechan el poder de los demás. Los idiotas ricos obtienen ayuda. Eso lo entiendes.

Sin embargo, hay otro secreto sorprendente, que pone de cabeza las cosas. Los idiotas ricos también aprovechan el poder de... bueno, llamémoslo el "Universo". Los idiotas ricos no sólo dependen de recursos físicos o humanos para alcanzar sus metas; los idiotas ricos dependen de recursos espirituales.

> ¡Recuerda!
> Pon de cabeza tus creencias.

La mayoría de los idiotas ricos cree en las leyes espirituales de la riqueza. No sólo creen en ellas, las siguen al pie de la letra. ¿Por qué? Porque los idiotas ricos saben algo que los LCQ no. Los idiotas ricos saben que en lo que respecta a crear riqueza, las leyes espirituales siempre vencen a las leyes físicas. Créelo. Cada centavo que llega a ti es a través del universo de la riqueza que es tan viejo como el mundo mismo.

Justo en este momento algunos de ustedes probablemente estén listos para saltarse este capítulo. Te estás diciendo: "Esto es un poco loco para mí". O quizás estés pensando: "Ya soy una persona de fe, así que no tengo que leer esto". Quizás incluso algunos de ustedes estén francamente molestos: "¿Cuándo va a empezar este tipo?", puede que pienses. "Compré este libro para descubrir cómo hacerme rico, no para leer un sermón."

Permíteme tranquilizarte, los conceptos que estoy a punto de presentar cruzan todas las líneas religiosas. Se aplican al más devoto, así como al más cínico, y yo atribuyo mucho de mi propio éxito a seguir las leyes que voy a compartir contigo en este momento.

Además, tengo algunas personas impresionantes que respaldan mi opinión.

Por ejemplo, Ralph Waldo Emerson, uno de los mayores pensadores del siglo XIX, escribió en *El progreso de la cultura*: "Los grandes hombres son los que ven que la fuerza espiritual es más fuerte que cualquier fuerza material".

Deepak Chopra, un autor que vende miles de libros y es guía espiritual de millones de personas, dice: "Los seres humanos están hechos de cuerpo, mente y espíritu. De las tres, el espíritu es el principal, puesto que nos conecta con la fuente de todo". Y eso incluye la riqueza.

Randy Gage, el autor de *Accept Your Abundante: Why You Are Supposed to Be Wealthy* (*Acepta tu abundancia: Por qué se supone que debes ser rico*), escribe:

Creo que el dinero es… el Universo en acción. No hay separación. El brillo del sol, las lunas llenas y las caminatas en la playa son espirituales. La buena salud, las relaciones felices y el amor son espirituales también. ¡Pero también lo son la seguridad financiera, una casa agradable, ropa bonita y un automóvil que hace que tu corazón corra a mil! Porque la única forma en que obtienes y conservas las cosas materiales es haciendo un intercambio de valor justo y viviendo las leyes espirituales de la prosperidad.

ESOS MISTERIOSOS MOMENTOS DE DINERO

Todos hemos tenido esta experiencia: has llegado al final de tu cuerda financiera. Estás a punto de irte al hoyo. Has agotado todo recurso financiero que se te ha ocurrido cuando, de pronto, de la nada, ¡aparece la cantidad exacta de dinero que te salvará! Ése es el misterioso momento de dinero del que Squire Rushnell escribe en su libro *When God Winks* (*Cuando Dios guiña el ojo*).

Una viuda estaba teniendo dificultades. El seguro de vida de su marido había expirado y no podía conseguir trabajo. La ropa de sus hijos adolescentes les quedaba chica y la alacena estaba vacía. Una mañana analizó su situación. Debía 550 dólares de renta. Le iban a cortar la luz a menos que pagara 44 dólares. La compañía de teléfonos la estaba presionando para que pagara 31 dólares. Eso quería decir que necesitaba 625 dólares. Su chequera tenía un saldo de 24 dólares… Antes de salir a hacer algunos mandados, tomó la Biblia del librero, la colocó en el piso y se paró sobre ella. "Señor, tú has dicho que hay que apoyarse en tu palabra y tú proveerás para nuestras necesidades. Bueno, aquí estoy." Luego se bajó de la Biblia y siguió su camino. En la oficina de correos su corazón dio un salto. Tenía dos cartas. Una tenía un cheque de regalías por un viejo comercial que no tenía idea seguían pasando; el otro, un reembolso de 75 dólares de una universidad a la que su hijo había querido entrar. Feliz y con renovada esperanza, corrió al banco a depositar los cheques. Fue entonces cuando recibió otra buena noticia: había habido un error: ¡el saldo de su chequera no era de 24 sino de 240 dólares! Después de los depósitos, el saldo de su cuenta era de 625 dólares, la cantidad exacta que necesitaba para pagar la renta y las cuentas de la luz y del teléfono.

Claro, historias como ésa suenan demasiado parecidas a parábolas como para ser verdad, pero he tenido suficientes experiencias similares para dar crédito a este relato.

Hay miles de misteriosos momentos de dinero que simplemente no se pueden explicar sólo mediante las leyes materiales de la riqueza.

La generosidad del universo no siempre viene en forma de dinero en efectivo real, a veces viene en otras formas sorprendentes.

¿Alguna vez te sucedió que una persona llegara a tu vida y la cambiara en el momento exacto en el que lo necesitaba? ¿Alguna vez tu carrera cambió de rumbo en el momento exacto en que lo necesitabas? ¿Experimentaste un renacimiento espiritual, ético o moral, que te dio bienes que nunca esperabas? ¿Alguna vez has notado que cuando tus recursos financieros están a punto de agotarse (cuando estás al borde de la quiebra) te llega el dinero suficiente para seguir adelante?

Todos esos hechos y momentos que consideramos coincidencias o suerte en realidad son el universo que toca nuestra vida y nos ayuda o que nos conduce a un camino más favorable en la vida.

Confía en esos momentos.

Test de riqueza espiritual

Respetar las leyes espirituales de la riqueza es una parte importante de convertirse en un idiota rico. Para descubrir exactamente dónde encajas en la escala de riqueza espiritual, responde este test.

1. Hay leyes espirituales que gobiernan la riqueza.
   a) Lo creo.
   b) No estoy seguro de creerlo.
   c) No lo creo en lo absoluto.
2. Los ricos son avaros y egoístas.
   a) Creo que todos los ricos son avaros, deben serlo para haber conseguido tener tanto.
   b) Creo que los ricos son como el resto de nosotros, avaros algunas veces y generosos otras veces.
   c) Creo que, en comparación con la población general, los ricos son menos avaros, más generosos y menos egoístas.
3. El universo es un lugar abundante y hay más que suficiente para todos.
   a) Creo que vivimos en un mundo de escasez y que si alguien toma una tajada grande, otro termina sin nada.
   b) Estoy de acuerdo en que el universo es un sitio abundante y hay más que suficiente para todos.
   c) Creo que el universo favorece a algunas personas sobre otras y distribuye la riqueza de manera desigual.
4. ¿Cuál de las siguientes afirmaciones describe mejor tus sentimientos?
   a) Me pongo muy celoso cuando veo que alguien tiene una casa más grande, un automóvil mejor, ropa más fina y una vida sin preocupaciones, mientras que yo lucho por pagar las cuentas y mantener un techo para mi familia.

b) Me encanta conocer personas ricas y exitosas porque eso demuestra que la riqueza está ahí y si esos idiotas ricos pueden, yo también.

5. Pienso que hay algo dentro de mí que me está impidiendo ser rico. Imagino que realmente no merezco ser rico y simplemente debo ser feliz con lo que tengo.

a) Creo que esta afirmación es cierta.

b) No estoy de acuerdo, aunque no estoy del todo seguro respecto de cómo acceder al camino de los ricos.

PUNTAJE DEL TEST DE RIQUEZA ESPIRITUAL

¿Listo? Vamos a ver qué tal te fue. Vamos a ver si sigues en el modo LCQ, pensando con el lado correcto arriba y quebrado, o si has desarrollado la mentalidad de un idiota rico.

1. Hay leyes espirituales que gobiernan la riqueza

Si respondiste a) "Lo creo", date una palmadita en la espalda. Has entrado a la zona donde residen la mayoría de los idiotas ricos y su dinero.

Si respondiste b) "No estoy seguro de creerlo", bájate de la reja o pon a prueba las leyes espirituales. Adelante. ¿Cuánto necesitas realmente en este momento? Pídelo. Y verás lo que sucede.

Si respondiste c), "No lo creo en lo absoluto", aún puedes hacer dinero. Aún puedes volverte rico. Pero nunca disfrutarás de las bendiciones de la verdadera abundancia que el universo puede verter en tu vida. Puede que tengas dinero pero descubrirás que no te hará un idiota rico. Seguirás siendo un LCQ.

2.   Los ricos son avaros y egoístas.

Si respondiste a) "Creo que todos los ricos son avaros, deben serlo para haber conseguido tener tanto", estás pensando como un verdadero LCQ. Tu imagen de la riqueza como avara y arrebatadora es errónea y bloqueará tu camino hacia el estatus de idiota rico. La realidad es que los idiotas ricos no son avaros. ¿No me crees? Cree lo siguiente: Un estudio dirigido por el Grupo Spectrum en 2004 descubrió que los hogares con 500 000 dólares o más en activos regalaban el 6 por ciento de su ingreso, mientras que los hogares con una red de 5 millones o más contribuían con 6.1 por ciento a varias obras de caridad. Esto se compara con un promedio del 2 por ciento en el caso de todos los hogares estadounidenses (léase hogares de LCQ). Ahí tienes la imagen de los idiotas ricos como "avaros".

Si respondiste b) "Creo que los ricos son como el resto de nosotros, avaros algunas veces y generosos otras veces", regresa y lee el párrafo anterior. Las estadísticas no mienten. El hecho es que, en general, los idiotas ricos son *más* generosos que el resto de la población, incluidos los LCQ.

Si respondiste c) "Creo que, en comparación con la población general, los ricos son menos avaros, más generosos y menos egoístas" has mostrado que tienes el espíritu de un verdadero idiota rico. Estás en el carril de alta para llegar a donde quieres. ¿Por qué lo digo? Porque como crees que los ricos son generosos y compartidos, tampoco tienes ningún conflicto interno en ser rico. En contraste, los LCQ que creen que de alguna manera es malo ser rico están llenos de mensajes en conflicto. ¿Cómo puede el universo enviarte riqueza, bienes y abundancia cuando has colocado una serie de barreras para bloquearlos?

3.   El universo es un lugar abundante y hay más que suficiente para todos.

Si respondiste a) "Creo que vivimos en un mundo de escasez y que si alguien toma una tajada grande otro termina sin nada" tienes un espíritu de escasez. No crees en la abundancia del universo. Crees que si tu vecino adquiere más riqueza, deja menos para ti. No es verdad. La riqueza universal brota de un manantial que no tiene fondo y nunca puede vaciarse. Olvida esa forma de pensar enseguida porque dañará severamente tus posibilidades de convertirte en un idiota rico. De hecho, iré tan lejos como para decir que la abundancia para todos es uno de los principios fundamentales del universo. "Que Dios te conceda el rocío del cielo, la fertilidad de la tierra, y trigo y vino en abundancia", dice la bendición de Isaac en el Génesis 27:28. "Toda hebra de pasto tiene a su Ángel que se dobla sobre ella y susurra: '¡Crece... crece!'", enseña el Talmud. O, considera la siguiente frase, del Midrash Éxodo Rabbah 31:12: "No hay en el mundo nada más lamentable que la pobreza".

Si respondiste b) "Estoy de acuerdo en que el universo es un sitio abundante y hay más que suficiente para todos", ¡felicidades! Tienes la mentalidad de abundancia de los idiotas ricos. Al creer que hay mucho allá afuera, te has abierto a dejar que fluya hacia ti.

Si respondiste c) "Creo que el universo favorece a algunas personas sobre otras y distribuye la riqueza de manera desigual", tu sistema de creencias es el de un LCQ. Supéralo.

4.   ¿Cuál de las siguientes afirmaciones describe mejor tus sentimientos?

Si respondiste a) "Me pongo muy celoso cuando veo que alguien tiene una casa más grande, un automóvil mejor, ropa más fina y una vida sin preocupaciones, mientras que yo lucho por pagar las cuentas y mantener un techo para mi familia", sin lugar a dudas estás en tierra de LCQ. Estos celos son muy perjudiciales para la adquisición de bienes. Si ves a una persona rica y piensas "no lo merecen" o "qué desperdicio" o "qué estupidez", son pensamientos infundados, profundamente negativos. Estás echando lo que se denomina mal de ojo. El universo y el mundo del dinero reflejan lo que tú envías. Así que cada vez que dices o piensas "no lo merecen", lo que se te regresa del universo es "*tú no lo mereces*". Tus pensamientos son como un búmeran. Siempre se te regresan. Los idiotas ricos lo saben y, como lo saben, celebran los éxitos de otros idiotas ricos. Se hacen amigos de los ricos. Agradecen al universo la buena fortuna de otros, sabiendo que alegrarse por la riqueza de los demás resultará en su propia riqueza. Deshazte de amarguras. Están echando a perder tu cosecha de riqueza potencial. Recuerda, las personas negativas que transmiten su culpa o te acusan a ti o a otros, por lo general están hablando de sí mismas: quienes engañan acusan a otros de engañar, los mentirosos acusan a otros de mentir.

Si respondiste b) "Me encanta conocer personas ricas y exitosas porque eso demuestra que la riqueza está ahí y si esos idiotas ricos pueden, yo también", bien hecho. Has dado un paso al frente a la fila de los idiotas ricos.

5.   Pienso que hay algo dentro de mí que me está impidiendo ser rico. Imagino que realmente no merezco ser rico y simplemente debo ser feliz con lo que tengo.

Si respondiste a) "Creo que esta afirmación es cierta", estás en un lugar peligroso e indigno. El universo es muy listo. No sólo te envía lo que pides directamente, sino que monitorea lo que estás diciendo de manera indirecta. Esta afirmación dice:

"No valgo la pena, así que pasa sobre mí y da toda la riqueza a alguien más". El universo no quiere que simplemente te "establezcas". Hay toda una vida de riqueza esperando que la disfrutes y compartas. Sal y consíguelo. Deja de pensar que no lo mereces. Todo lo contrario.

Si respondiste b) "No estoy de acuerdo, aunque no estoy del todo seguro respecto de cómo acceder al camino de los ricos", creo que tienes que confiar en la fe. ¡Una de las cosas más difíciles de la riqueza es quererla! Tienes que querer la riqueza o no obtendrás nada. También tienes que creer que mereces la riqueza o no obtendrás nada. También tienes que creer en ti mismo. Tienes que creer en lo que te estoy diciendo. Inténtalo. Lo único que tienes que perder es tu LCQ interno.

Idiota rico	vs.	LCQ
El universo me ayuda	vs.	El universo no es otra cosa que más bla, bla, bla
Desear es bueno	vs.	Desear es malo
Abundancia	vs.	Escasez
Felicidad por la riqueza de otros	vs.	Envidia por la riqueza de otros
Lo merezco todo	vs.	No valgo la pena

PREPARACIÓN DE RIQUEZA ESPIRITUAL

Antes de que pueda revelar las dos leyes espirituales fundamentales de la riqueza que van a poner de cabeza tus creencias, vamos a prepararte. Quiero que aclares viejas y oxidadas formas de relacionarte contigo, con otros y con el universo. Vamos a dejarte limpio y brillante como un idiota rico.

Tu preparación de riqueza espiritual consiste en dos sencillos pasos:

- Perdona
- Comprométete

Perdona

Lo primero que tienes que hacer es perdonar. "Pero no tengo ningún resentimiento", protestas. Por favor... Hagamos una rápida verificación de posibles blancos de perdón. ¿Me puedes decir que uno o más de los siguientes grupos nunca te ha hecho enojar ni te ha puesto celoso? ¿Me puedes decir que no te ha lastimado o asustado? Por supuesto que sí. Así que lo primero que vamos a hacer es perdonar.

- Perdona a tus padres.
- Perdona a tus hermanos.
- Perdona a tu cónyuge.
- Perdona a tus hijos.
- Perdona a otros miembros de tu familia.
- Perdona a los amigos que te han decepcionado.
- Perdona a tus compañeros de trabajo.
- Perdona a tus vecinos.
- Perdona a la gente con quien entras en contacto todos los días.

El perdón es el primer paso para limpiar "cosas" viejas y crear espacio para que entre nueva riqueza. Perdonar no es algo que hagas una vez a la semana. El perdón es un limpiador diario, que prepara tu espíritu para los bienes que vendrán. "Llevar un registro de viejas heridas y cicatrices, vengarte y humillar siempre te hacen menos de lo que eres", dijo Malcolm Forbes, uno de los idiotas ricos más acaudalados y exitosos.

Sin embargo, nuestra lista no está completa. Uno de los actos más importantes de perdón es perdonarte a ti mismo. Es un bálsamo. Sana. Te prepara para acceder a esas leyes espirituales de la riqueza que pueden cambiar no sólo tu vida, sino la de todo lo que tocas.

¡Recuerda!
Errar es humano. Perdonar te puede hacer rico.

Tu nota de perdón

Yo escribí esta nota de perdón para mí. La lleno y la digo por lo menos una vez a la semana. Me ayuda a alinear mi energía con la bondad del universo, en lugar de dirigirla a la venganza o a otras emociones que drenan la energía.

Nota de perdón 1

(*Esta nota es para que te la digas a ti mismo para perdonar a los demás.*)
Te perdono _____ [escribe el nombre de la persona a quien estás perdonando] por cualquier cosa que me hayas hecho en el pasado, por cualquier cosa que me estés haciendo en el presente y por cualquier cosa que me hagas en el futuro. Te perdono por completo.

Nota de perdón 2

(*Esta nota es para que te la digas a ti mismo cuando creas que necesites perdón por lo que le hayas hecho a alguien.*)
Por favor _____ [escribe un nombre] perdóname por cualquier cosa que te haya hecho en el

pasado, que te esté haciendo en el presente o que te haga en el futuro. Por favor perdóname en este momento.

Nota de perdón 3

(*Esta nota es el acto universal de perdón que te confieres a ti.*)
En este momento me perdono por completo por _____
_____ [escribe aquí por qué te estás perdonando].

¡Advertencia!
El perdón no te absuelve de la responsabilidad de los errores que hayas cometido. Uno siempre debe ser responsable y responder por cualquier error que haya cometido. El perdón es un acto aparte.

Comprométete

Ésta es una parte muy importante de tu preparación como idiota rico. Lo que significa es lo siguiente: primero, debes reconocer que todavía no eres un idiota rico, no has estado comprometido en convertirte en idiota rico. Esto es difícil. Es aceptar toda la responsabilidad por tu falta de riqueza. Aquí no se valen excusas, no se vale arrojar la pelotita, no se valen los "sí, pero…" Se trata de que te pronuncies y admitas que no eres un idiota rico porque no estabas lo suficientemente comprometido con la riqueza.

La segunda parte de esta preparación es comprometerte con la riqueza. Quiérelo. Créelo. Acepta la responsabilidad de llevarla a tu vida.

Permíteme contarte una historia sobre algo que me sucedió hace muchos años. No tenía dinero y mi cuenta estaba en ceros. Para decirte la verdad absoluta, estaba quebrado. No podía pagar mis cuentas. Estaba estresado. Pensaba en eso día y noche, semana tras semana, mes tras mes. Fue una época realmente difícil para mí. Algunos de ustedes han pasado por eso, ¿verdad? Algunos de ustedes pueden estar pasando por eso en este momento. La conclusión es que *todos* hemos estado ahí.

Un día, un amigo adinerado me dijo: "Robert, me he dado cuenta de que no estás tan feliz como siempre. Parece que estás pasando por un mal momento". Me dio tanto gusto que alguien se hubiera dado cuenta y que tal vez fuera a ayudarme que admití mis sentimientos. "Totalmente", dije. "Estoy tan estresado. No me alcanza el dinero. No puedo pagar mis cuentas. No puedo ahorrar nada. Económicamente vivo de semana en semana y a veces vivo al día. No sé qué va a pasar. Estoy asustado. Y me siento realmente pobre en este momento."

> ¡Recuerda!
> Rico o pobre... lo que has conseguido es lo que quieres.

En lugar de compasión, aquí está lo que obtuve de él: "Robert, lo que estás experimentando en este momento (estar quebrado y estresado) es con lo que te has comprometido. Subraya *comprometido*".

"¿Qué quieres decir?", respondí.

"Bueno, obviamente estás comprometido con estar estresado, vivir quebrado y ser pobre."

No podía creerlo. "¿Estás bromeando?", respondí, enojado y aún más frustrado. "Yo *quiero* ser rico. *Quiero* tener mucho dinero. *Quiero* cuidar a mi familia. *Quiero* ser capaz de dar a los demás. ¡Pero estoy quebrado!" Prácticamente estaba gritando, discutiendo con él, sintiéndome cada minuto más frustrado y a la defensiva.

Y luego me callé, respiré muy profundo y comencé a escuchar realmente lo qué él me estaba diciendo. "Si fumas y no dejas de hacerlo, sin importar cuántas veces digas que lo vas a intentar, tu compromiso está con el fumar", explicó de manera calmada. "Si eres pobre, entonces en algún punto estás comprometido con ser pobre. Cambia el compromiso y cambiarás el resultado. Comprométete con ser rico y feliz. Y en el minuto en que te comprometas, esas cosas llegarán a tu vida."

Ésa fue su manera de decirme que debía permitir al universo entrar en mi espíritu al preparar mi espíritu para recibir riqueza. ¡Comprometerse con un nuevo resultado!

Tu nota de compromiso

A continuación hay una nota que te ayudará a comprometerte con un resultado de riqueza. Dila dos veces al día: una vez antes de empezar tu día y luego otra vez a la hora de dormir. Di las palabras con sentimiento y con la creencia de que ahora estás comprometido con un resultado financiero personal mejor y que lo conseguirás.

Soy _____ *[di tu nombre aquí]. Me comprometo a lo siguiente:*

Me comprometo a llenar mi vida de riqueza.
Me comprometo a llenar mi vida de felicidad.
Me comprometo a ser honesto.
Me comprometo a realizar acciones positivas.
Me comprometo a obtener un nuevo resultado.

Ahora estás listo.

LAS DOS LEYES ESPIRITUALES DE LA RIQUEZA

Ley número 1 Obtén.
Ley número 2 Da.

LA PRIMERA LEY ESPIRITUAL DE LA RIQUEZA

Prácticamente todo libro que se dirija a las leyes espirituales de la riqueza comienza con este mandamiento profundo: da para recibir.

No el del idiota rico. En este mundo de cabeza de idiotas ricos, la instrucción principal es muy diferente. La ley espiritual de la riqueza número uno en el universo de los idiotas ricos es exactamente la opuesta. *Obtén* para *dar*. Esta ley es la que más trabajo les cuesta aceptar a los LCQ. ¿Crees que estoy bromeando? Realiza el siguiente test y descubre si estás pensando como idiota rico o como LCQ, en lo que respecta a obtener.

> ¡Recuerda!
> Cuanto más obtengas, más puedes dar.

Test espiritual

Estás en mi seminario de creación de riqueza. A tu alrededor hay miles de otros idiotas ricos en entrenamiento. De repente, interrumpo mi presentación y saco diez billetes de cien dólares. Los agito por encima de mi cabeza y pregunto: "¿Quién quiere uno de estos billetes? Acérquense".

¿Qué haces?

1.   Te mantienes firmemente sentado en tu asiento.

2. Esperas hasta que alguien se levante y luego lo haces tú también.

3. Decides que es el momento perfecto para tomar una taza de café, ir al baño y fumarte un cigarro... lo que sea con tal de salir de ahí y no verte involucrado en el juego del regalo de dinero.

4. Corres directo al escenario.

Acabas de ir a la tienda de abarrotes a comprar algunas cosas. Para tu horror, cuando la cajera empieza a cobrar tus compras te das cuenta de que olvidaste tu cartera. Al buscar en tus bolsillos logras reunir 4.67 dólares. Te faltan 97 centavos. De pronto, la persona que está detrás de ti en la fila saca un dólar y te lo da.

¿Qué haces?

1. Murmuras algo que suena sospechosamente como "gracias, pero no gracias", te haces a un lado para dejar tus artículos y te vas de la tienda lo más rápido posible.

2. Comienzas a pensar de qué artículos puedes prescindir, de modo que puedas cubrir el costo de tu compra con tu propio dinero.

3. Das las gracias de manera muy educada, tomas el dinero, pagas tus compras y te vas a casa, bendiciendo la bondad de los extraños.

Estás en camino a una cita muy importante (una entrevista de trabajo, una cita de amor, el recital de violín donde tu hijo tiene su primer solo, lo que sea). Se te poncha la llanta. Lo peor es que olvidaste cargar saldo a tu teléfono y ahora no tienes manera de llamar para que te arreglen la llanta ni para explicar tu retraso. Un perfecto extraño se acerca, te ve en dificultades y te ofrece su teléfono celular.

¿Qué haces?

1. Dices "no gracias", te vuelves a meter al coche y te quedas ahí sentado, diciéndote que eres un estúpido y echando pestes de tu esposa, tu hijo, la compañía de teléfonos, tu vida, el universo.
2. Dices "no gracias" y comienzas a caminar en busca de un teléfono de monedas.
3. Aceptas gustoso la oferta de usar su teléfono celular. Haces tus llamadas.

En el trabajo, tienes dificultades con un proyecto que simplemente no está saliendo bien. Una de tus colegas ofrece ayudarte.

¿Qué haces?

1. Te rehúsas y declinas. Niegas que hayas estado teniendo problemas y declinas cualquier oferta de ayuda.
2. Das las gracias de manera educada y luego te pasas las siguientes dos semanas estresado por lo que te imaginas era un complot que tu colega creó para hacerte ver estúpido frente a tu jefe, de modo que pudiera lograr que te despidieran y quedarse con tu puesto.
3. Aceptas la oferta de ayuda con gratitud.

Estás teniendo una de esas mañanas de pesadilla. Tienes que entregar un trabajo importante (que no has terminado) para tu clase de computación de la noche. Es el día que te toca manejar. Olvidaste hornear cuatro docenas de panquecitos para la tropa de tu hija. Tu otra hija se niega a salir de la casa sin sus calcetines favoritos. La secadora acaba de hacer ese ruido extraño otra vez y no quiere funcionar. Toda la ropa, incluyendo los calcetines que tu hija no quiere dejar, es un desastre empapado. Tu hijo pequeño se acaba de ensuciar por segunda vez. Tienes siete meses de embarazo. Ha comenzado a nevar… con mucha fuerza. Y, para colmo, tu esposo se fue anoche a un viaje de negocios de tres días en una isla tropical. Tocan la puerta. Es tu suegra. Trae su maleta y te ofrece quedarse un par de días para ayudarte.

¿Qué haces?

1. Te pones roja de vergüenza al ver que te atrapó desprevenida con un desastre doméstico y te culpas por ser un fracaso rotundo en todo. Le das las gracias. Insistes en que estás bien y todo está bajo control. Le dices que la llamarás y la despachas lo más rápido posible.

2. Empiezas a recoger el desastre y a pedir disculpas por todo mientras la sigues a través del desastre hacia la cocina. Le prometes que sólo la necesitarás una hora, máximo. Le suplicas que no "toque nada". La tranquilizas diciéndole que todo está bajo control y que *no* es una mañana normal.

3. Le sonríes y la abrazas con gratitud. Tomas tu tarea, las llaves del coche y tu tarjeta de Starbucks y dejas que ella se encargue de los niños, la secadora, los calcetines y el popó.

¿Qué elegiste?

¿Corriste por el billete de 100 dólares?
¿Pagaste tus compras con el dinero del extraño?

¿Aceptaste que te prestaran el teléfono celular?

¿Recibiste el regalo de ayuda de tu suegra?

Si ésas no fueron tus respuestas, eres un LCQ, con el lado correcto arriba y quebrado, al *no* aceptar esos regalos has roto la primera ley espiritual de los idiotas ricos. De nuevo, ésa es la ley de recibir abundancia con gratitud, la ley de "obtener".

Tu transformación de riqueza espiritual

Lo sé: a todos nos programaron para creer que tenemos que dar para recibir. Quienes dan son mejores que quienes reciben.

Pero he aquí la parte de cabeza que los idiotas ricos entienden. Obtener es primero. Tiene que ser así. Como colocarte primero tú una máscara de oxígeno en el avión antes de ayudar a tu hijo pequeño con la suya, primero tienes que *recibir* los regalos de la abundancia *antes* de poder darlos. Sé que la mayoría de nosotros se siente incómoda recibiendo. Sentimos que no lo merecemos, nos sentimos culpables, comprometidos, egoístas… todo lo negativo. Si de repente yo saliera de este libro y te diera I 000 dólares, tú podrías pensar: "¿qué hay detrás?" o "¿por qué me los está dando?" Te sentirías incómodo recibiendo.

Sin embargo, los idiotas ricos piensan muy distinto acerca de recibir. Los idiotas ricos saben que cuanto más tengan, más podrán dar. De hecho, los idiotas ricos llevan un poco más al límite esta idea y creen que es su deber obtener más para poder dar más.

Permíteme ponerlo en cantidades en dólares.

Te detienes en un alto y un vagabundo llega y te toca la ventana. Lleva un letrero que dice: "Veterano. Enfermo. Sin hogar". Tú acabas de pagar todas tus cuentas y, como estás viviendo al día, ya no vas a tener dinero hasta mañana. Lo único que tienes en la bolsa son 10.84 dólares. Pero realmente quieres ayudar. Le das un dólar. Bien hecho. Está muy bien. Acabas de regalar casi el 10 por ciento de lo que tenías. El universo te sonríe. Pero enfrentémoslo: un dólar no hace gran cosa por ayudar a un hombre que está enfermo y solo en las calles, sin casa ni cobijo.

Ahora, qué tal lo siguiente:

Has terminado de leer este libro. Llevas unos meses en tu propio programa del idiota rico. Has creado tu red y ahora vale 100000 dólares. Sigues teniendo ganas de ayudar a la gente. Haces un cheque por 10000 dólares para un albergue local para indigentes, la décima parte de lo que tienes. ¡Esos 10000 dólares alimentarán y cobijarán a muchas almas durante un mes!

¿Qué fue mejor? ¿Regalar un dólar o regalar 10000?

Qué tal el siguiente escenario:

Lo lograste. Eres un megaidiota rico con una red de riqueza que vale 10 millones de dólares. Pero dentro de ti sigue la misma persona. El dinero no ha cambiado el hecho de que quieres ayudar a otros. ¿Entonces qué haces? Tomas 1 millón (sigue siendo el 10 por ciento de tu riqueza) y construyes un local que pueda alimentar y albergar a muchas personas al año, además las vistes, les proporcionas atención médica, las entrenas y las ayudas a ser autosuficientes.

¿Cuál de estos escenarios produce el mejor resultado?

Imagínatelo. Los idiotas ricos siempre quieren más para poder dar más.

Es como lo que dice Oprah: "Lo que te proporciona el éxito material es la habilidad de concentrarte en otras cosas que realmente importan. Y eso es ser capaz de marcar una diferencia, no sólo en tu propia vida, sino en la de otras personas".

Mecenas, benefactores y santos

La madre Teresa

Ya sé. Algunos de ustedes son escépticos. Todo ese aprendizaje sobre "dar" es difícil de desaprender. Es difícil ver el obtener una enorme riqueza como una ley, en gran parte como las otras leyes. Es difícil imaginar cómo obtener te puede hacer dar más, ser más generoso y capaz de ayudar a más personas.

Intenta lo siguiente: piensa en la madre Teresa. Todos sabemos que es una santa, como mujer logró inspirar no sólo a una nación sino al mundo entero. La madre Teresa hizo el voto de pobreza. Nunca pensamos en el dinero que necesitaba y que consiguió para lograr su trabajo. Pero ella conocía la primera ley espiritual de la riqueza... la ley sobre obtener. Todo lo contrario: logró "obtener" (recibir) millones de dólares para poder ayudar a miles de pobres y moribundos. Este fragmento de *Frontline*, una revista de negocios de la India, lo explica bien:

"En el dinero", dijo a su biógrafo [la madre Teresa], "nunca pensé. Siempre llega." No hay estimados del volumen de donaciones que recibe la congregación hoy en día, pero se sabe que las donaciones son de millones de dólares.

He ahí una santa que entendió sobre el dinero y sobre recibirlo. Ella entendió la primera ley espiritual de la riqueza: Obtén.

Los artistas obtienen

Durante siglos, los mecenas usaron su enorme riqueza para apoyar a las artes y las ciencias. ¿Qué tal si Miguel Ángel, Leonardo da Vinci, Shakespeare, Mozart o Beethoven hubieran decidido que no tomarían, recibirían o se abrirían a "recibir"? No habrían sido capaces de dar al mundo algunos de los más bellos monumentos al alma humana.

Cómo "obtener" más

Hay dos llaves que abren el universo "donde se obtiene más":

1. Lo primero es dar "gracias" por lo que tienes.
2. Lo segundo es pedir más.

Gratitud

Lo que se dice sobre el poder de la gratitud para desatar la abundancia va desde un dicho del pueblo Hausa de Nigeria "Da gracias por poco y recibirás mucho", hasta este fuerte testimonio de la escritora Sarah Ban Breathach: "Tanto la abundancia como la carencia existen de manera simultánea en nuestra vida, como realidades paralelas. Siempre es nuestra elección consciente por qué jardín secreto nos inclinamos… Cuando elegimos no concentrarnos en lo que nos falta en la vida, pero somos agradecidos por la abundancia presente (amor, salud, familia, amigos, trabajo, las alegrías de la naturaleza y las búsquedas personales que nos traen placer), la tierra de las ilusiones se pierde de vista y experimentamos el Cielo en la tierra".

Si quieres más dinero, si te sientes empobrecido, si te sientes estresado, no te estás acercando a la abundancia desde el lugar correcto. La forma de cambiar esos sentimientos y restaurar la energía y el flujo positivos es simplemente decir "gracias". Sé agradecido por lo que tienes porque si no eres agradecido por lo que el universo ya te ha dado, es probable que no te dé nada más.

Ten en mente que hay personas en el mundo que no tienen qué comer, que no tienen medicinas, que no tienen agua. Hay personas que no tienen hijos o una familia. Hay personas que no tienen novia o novio, o esposa o esposo. Hay personas que no tienen trabajo y estarían agradecidas por encontrar uno. Hay personas que tienen que caminar porque no tienen coche. Ahora compara eso con lo que tú tienes y da "gracias" por todo, sin importar lo grande o pequeño que sea.

¿Sabías que casi mil millones de personas entraron al siglo veinte sin ser capaces de leer un libro o siquiera escribir su firma? ¿¡O que la mitad del mundo (tres mil millones de personas) viven con menos de 2 dólares al día?!

Podría sorprenderte con varias páginas con estadísticas igual de devastadoras, pero entonces dirías: "Vamos, Robert, es suficiente. Quiero que me muestres cómo hacer un poco de dinero y llegar a donde quiero". Así que dejémoslo así: para crear riqueza primero debes crear una energía positiva al experimentar la abundancia real de la que disfrutas, después usar esa energía para empezar a infundir energía a tus finanzas y a tu fortuna.

La nota de agradecimiento

Intenta lo siguiente. Yo empecé a hacerlo hace muchos años y he continuado. Casi cada vez que pago una cuenta, escribo un "gracias" pequeño en el cheque. Cuando pago la cuenta de la luz, envío un agradecimiento a la compañía de luz. Cuando pago la cuenta del teléfono, envío un agradecimiento a la compañía de teléfonos. "¿Por qué harías algo así?", me preguntan todo el tiempo. La respuesta es que cada vez que hago un gesto tan pequeño como ése, el universo recompensa mi agradecimiento, a veces en cantidades extraordinarias.

> **¡Recuerda!**
> En cada cuenta que pagues o en cada cheque que hagas
> agrega un agradecimiento.

Pide

Una de las fases más poderosas sobre los regalos que simplemente te están esperando se encuentra en el Nuevo Testamento (Lucas, 11:9-10): "Por eso yo les digo: Pidan, y Dios les dará: busquen, y encontrarán; llamen, y Dios les abrirá. Porque todo el que pide recibe; el que busca encuentra, y al que llama, Dios le abre." Qué promesa tan poderosa. Y lo único que debes hacer es pedir. Inténtalo.

Pide lo correcto

Date permiso de pedir. Recuerda, los idiotas ricos siempre piden todo. Piden ayuda, piden consejos, piden dinero. Sintonízate con la forma de pedir de los idiotas ricos.

Pide lo que quieres, no lo que no quieres. Un LCQ pediría "Por favor haz que las cuentas dejen de acumularse" o "Por favor ayúdame a no estar quebrado". Ésa es una forma incorrecta de pedir, la cual atrae las "cuentas" y "el estado de estar quebrado". Intenta lo siguiente: "Por favor dame 1 000 dólares" o "Por favor dame prosperidad". La diferencia en lo que obtengas te sorprenderá.

Agrega muchos detalles. Crea una película en tu imaginación acerca de lo que quieres exactamente. Agrega la mayor cantidad de detalles posible. Realmente "ve" lo que quieres que te dé el universo.

Pídelo a la persona que puede cumplir tu petición. No desperdicies tu tiempo pidiendo a gente que no tiene la autoridad o el poder para conceder tu petición. Vete a lo más alto, luego pregunta.

Así es. Ésa es la primera ley espiritual de la riqueza: Obtén. Ahora pasemos a la segunda ley espiritual de la riqueza: Da... o más bien, da para recibir.

LA SEGUNDA LEY ESPIRITUAL DE LA RIQUEZA

Ésta es la ley con la que estamos más familiarizados, porque nos la han inculcado desde niños. "Dale a Johnny tu camión", nos han dicho o "Dale a Suzie tu Barbie".

Hemos escuchado tantas veces la frase "hay más bendiciones en dar que en recibir", por lo general seguida de la promesa "da y te darán a ti", que está firmemente enraizada en nuestro sistema de creencias. Y hay una gran verdad en esa ley. Pero para que dicha ley te brinde la abundancia del universo tienes que saber cómo dar. Así que a continuación se encuentran las "Reglas de Robert" para dar (de modo que te asegures de recibir).

La excusa de "yo no tengo nada qué dar"

Antes de comenzar, lidiemos con los lamentos usuales de los LCQ: "Pero, Robert, estoy quebrado. No tengo nada que dar". Mi respuesta es: "Error. Tienes mucho que dar. Hagamos una lista".

1. *Da una sonrisa... ¡así de fácil!* Todo el mundo tiene una sonrisa que ofrecer y no puedes imaginar lo que una sonrisa puede hacer por levantar el ánimo de una persona; esto a menudo funciona para la persona que da y para la persona que recibe. ¿Qué estás esperando? Deja el libro y vele a sonreír a alguien.

2. *Da las gracias.* Ya hemos hablado del poder del agradecimiento y la gratitud para atraer la riqueza. Comienza en este mismo momento. Puedes agradecer a tu maestra de segundo grado que te enseñó a leer, haciendo posible que aprendieras los siete secretos que contiene este libro. Levántate y sírvete un vaso de agua. Ahora agradece a todas las personas que hicieron que esa agua fuera limpia y pura para beber. Escribe algunas notas de agradecimiento para personas que te han ayudado. Ya tienes una idea.

3. *Da una mano.* Mira a tu alrededor. ¿Acaso alguien necesita una mano? ¿Puedes cargarle las bolsas del súper a alguien mayor o discapacitado? ¿Puedes recoger esa envoltura que alguien tiró en la calle, ayudando a los trabajadores que se encargan de mantener limpia la ciudad? ¿Puedes dar a tu esposa una mano con la cena? ¿Tu hijo necesita una mano con su tarea? ¿El vecino necesita una mano con la basura del jardín? Mira a tu alrededor. Apuesto a que hay por lo menos una docena de personas a quienes les podrías dar una mano en este momento.

4. *Da un abrazo.* Ésta es importante. ¿Cuándo fue la última vez que abrazaste a alguien que quieres "sólo porque sí"?

5. *Da una hora.* Está bien, ¿cuánto dinero ganas en una hora? Sea lo que sea, dona una hora de tu tiempo a una causa local. Lee en voz alta a los pacientes de un hospital. Lleva comida a los presos. Ofrécete como voluntario en un albergue. Contesta el teléfono para una línea de ayuda. Felicidades, acabas de dar 5 o 10 o 100 o incluso 300 dólares. ¿Quién dice que no tienes nada que dar?

El flujo positivo de dar

Quiero contarte una historia real que me sucedió. Hay dos cosas que confirman esta historia.

La primera es la siguiente: no se trata de la cantidad que das, sino de qué tan grande es esa cantidad en relación con lo que *tú* tienes. Si tienes sólo 5 dólares y das 2.50, has dado la mitad de toda tu riqueza. El universo ve esto como un enorme acto de generosidad y lo recompensa enormemente. Compara esto con la persona que tiene 10 millones de dólares y da 1 000 dólares. El universo ve esto como tacañería y avaricia y a cambio detiene abundancia adicional.

La segunda confirmación es la siguiente: dar *siempre* resulta en recibir.

Ahora volvamos a mi historia y al guía espiritual que demostró el poder de esas dos confirmaciones.

Un amigo mío, un sabio guía espiritual, me pidió que hiciera una contribución a una obra de caridad. También quería enseñarme sobre dar. Me encanta ayudar, así que me senté y le di un cheque que me pareció generoso.

Lo miró. Me miró. Y luego lo rompió. "Robert", dijo, "quiero que me hagas otro cheque. Sólo que esta vez duplica la cantidad para que realmente puedas sentirlo".

Bueno, debo admitir que me sentí un poco desconcertado, pero seguí adelante e hice otro cheque. ¿Y qué hizo él?

También lo rompió. "Robert", dijo, "quiero que me hagas otro cheque y vuelvas a duplicar la cantidad".

Bueno, esta vez pensé que realmente estaba forzando los límites de la caridad y la amistad. Lo que pedía era una suma enorme de dinero. Este tercer cheque realmente me iba a doler. De hecho, iba a acabar con mi saldo disponible. Pero había confiado en ese hombre durante mucho tiempo, así que le hice el tercer cheque. Pero al momento de entregárselo dije: "Por favor no lo deposites en treinta días, porque hasta entonces tendré fondos suficientes para cubrirlo".

Tomó el cheque sin decir una palabra y se fue.

Al día siguiente, me llamó por teléfono y me dijo: "Robert, deposité en el banco el generoso cheque que me acabas de dar y te llamo para darte las gracias".

No lo podía creer. Ni siquiera tenía suficiente dinero en la cuenta. El cheque iba a rebotar. Justo en el momento en que iba a expresar mi preocupación, mi asistente llegó con el correo. Había dos sobres. Uno era de un hombre del que no tenía noticias hacía siete años. Le había prestado algo de dinero y nunca me lo había pagado hasta ese momento... ¡con intereses! Y la cantidad era más de lo que yo necesitaba para cubrir ese "jugoso" cheque.

Sin embargo, mi historia no termina ahí. Había un segundo sobre en el correo de ese día. También contenía un cheque (un cheque enorme) por más de lo que yo había dado.

Había dado hasta que dolió. Hasta estar asustado. Y el universo me lo devolvió... ¡doble! Ése es el poder de dar para recibir.

La manera adecuada de dar

"¿Hay una manera adecuada de dar, Robert?", me preguntan todo el tiempo. "¿Cómo puedo saber a quién dar o dónde dar?", es otra pregunta que escucho muy a menudo.

"Sí. Hay una manera adecuada de dar", siempre respondo. "Y es dar a algo mayor que tú." Todas las personas que son realmente felices, realmente ricas, realmente exitosas están comprometidas con algo mayor que ellas mismas. Si lo único en lo que estás comprometido eres tú mismo y en hacer dinero para comprar más coches, ropa y juguetes, te la pasarás bien, pero terminarás vacío... espiritualmente vacío. Y las probabilidades indican que el universo no te va a volver a llenar.

Algo semejante me sucedió. Gané muchísimo dinero. Me tomé un año entero de descanso. Hice todo lo que la gente sueña con hacer. Y déjame ser muy claro al respecto: me la pasé increíble. Lo único que hice fue ir a hoteles de descanso en la playa, viajar por el mundo, hospedarme en hoteles increíbles, jugar mucho en casinos. Y seguí comprando cosas. Donde quiera que fuera. Cualquier cosa que viera. Cualquier cosa que quisiera. Simplemente la compraba. Compraba y compraba y compraba. Juguetes, juguetes y más juguetes. Diversión y más diversión.

Sin embargo, algo me sucedió. Estaba haciendo lo que todo el mundo soñaba con hacer. Me sentía rico. Me sentía malcriado.

Estaba viviendo el sueño de todo el mundo, ¿cierto? El sueño de "si tan sólo me ganara la lotería". Pero no era suficiente.

¿Entonces qué me enseñó mi año? Me enseñó que cada relación, incluso la relación que tienes con tu riqueza cuando comienza a acumularse, pasa por tres etapas:

Etapa uno: es la etapa de enamoramiento. Te encanta. Es emocionante. También es una ilusión. No es sostenible. No puede durar y nunca dura.

Etapa dos: es la etapa de compromiso. Aquí es cuando comienzas a establecerte y a pensar en pasar tu vida con una persona especial en particular o con la riqueza que estás acumulando. Es la etapa en que comienzas a hacer compromisos, pero la mayoría de las personas se asusta y renuncia. Luego salen a buscar el enamoramiento de la etapa I.

Etapa tres: es la etapa de compromiso firme. Aquí es donde terminan los verdaderos idiotas ricos. Aquí es donde se comprometen con algo mayor a sí mismos y a sus seres queridos más próximos. Éste es el verdadero lugar de dar, dar a obras de caridad, a tu comunidad, a tu país, incluso al mundo. Cuando alcanzas este nivel, la emoción y el enamoramiento regresan a tus relaciones, trabajo y vida para siempre.

Así que cuando escribí este libro, justo como cuando escribí mis libros anteriores, no dije: "Vaya, no puedo esperar a vender un montón de libros para ganar todas esas regalías". No. Y cuando doy conferencias, no digo: "Lo único que quiero es dar esta conferencia, cobrar mi cheque y salir de ahí". No.

Estoy comprometido con algo mayor que mí mismo. Quiero ayudar a la gente de la misma manera en que tú quieres ganar suficiente dinero como para hacer que *tus* sueños se vuelvan realidad... y lo hago. Quiero contribuir con mi comunidad... y lo hago. Quiero contribuir con el mundo... y lo hago.

Y ésa es la mejor parte de ser un idiota rico y de seguir la ley espiritual de la riqueza. Da para recibir.

Unas palabras finales sobre las leyes espirituales de la riqueza

Tienes que creer en ellas. Es tan simple como eso. Porque nunca conoces realmente el todo. Aunque el mundo es redondo y no podemos ver más allá del horizonte, *sabemos* que hay algo más allá. Lo mismo con la riqueza. Puede que no seamos capaces de ver más allá de nuestro horizonte financiero inmediato, pero tenemos que creer que nuestra riqueza está ahí.

MI HISTORIA DE FE DE UN MILLÓN DE DÓLARES

Permíteme contarte una última historia para ilustrar el poder de creer.

Me sucedió hace unos años, cuando estaba empezando a dar conferencias. Una compañía bastante grande me contrató para impartir un seminario de tres días. "Robert, por lo menos habrá trescientas personas", prometieron mis contactos. También prometieron pagarme 500 dólares por persona. Bueno, hice cuentas y parecía bastante bien, sumaban 150 000 dólares por tres días de trabajo. Así que firmé el contrato. Ordené más de trescientos libros, manuales, discos y DVD para tenerlos disponibles. Los envié. Me compré un boleto de avión y partí.

¡Imaginarás lo impactado que estaba cuando llegué y sólo se habían presentado tres personas! Había gastado miles de dólares en los materiales y el viaje.

El presidente se deshacía en disculpas. Ofreció cancelar el seminario. "Robert", dijo, "entenderé si sales de aquí y nunca vuelves a hacer negocios con nuestra empresa". Y siguió y siguió, disculpándose, maldiciendo y luego volviéndose a disculpar.

Pero yo dije: "Mira, tres personas recorrieron un largo camino para llegar hasta aquí, invirtiendo su valioso tiempo así que pueden tomar el seminario. Vamos a darles un seminario excelente".

Todos nosotros, yo, los tres participantes y el presidente, nos sentamos alrededor de una mesa para café durante tres días y yo presenté mi seminario. Luego me despedí de todo el mundo. Empaqué. Y volví a casa.

> ¡Recuerda!
> Si tomas las dos leyes espirituales y añades la fe,
> la riqueza será tu recompensa.

No fue sino hasta dos años después cuando el universo me recompensó. De la nada, recibí una llamada de uno de los participantes que había asistido al seminario. "Hombre", dijo, "estoy seguro de que no te acuerdas de mí, pero yo asistí a ese seminario y nunca he visto nada semejante. Estuviste genial. Aunque sé que llevabas un montón de datos especiales y sólo se presentaron tres personas, te quedaste y diste tu mejor esfuerzo. Nunca lo olvidé". Luego me contó que acababa de iniciar una compañía de mercadotecnia y que quería mostrarme lo que esa firma podía hacer por mí en Internet. Bueno, me mostró, así es. ¡En un año aproximadamente, me hizo ganar casi 500 000 dólares!

Nunca sabes cuándo las leyes universales del "dar" y el "recibir" van a manifestarse. Sólo tienes que creer que lo harán.

LA BOLSA DE ORO

Sé que dije que sólo contaría una historia más, pero ésta es una historia demasiado buena como para no compartirla. Y, una vez más, demuestra la necesidad de fe al tratar con las leyes espirituales de la riqueza.

La mayor parte del tiempo, trato de ayudar o dar dinero a obras de caridad de manera anónima. Pero esta vez hice una donación muy privada, que se me devolvió en una forma muy pública. Permíteme contarte lo que sucedió.

Durante uno de mis seminarios, desde el fondo del lugar, se me acercó un hombre y me dijo frente a todos: "Robert, en verdad quiero hacerlo bien y volverme rico, pero últimamente he tenido muchas dificultades. La compañía para la que trabajo cerró, así que perdí mi empleo. No tengo amigos ni parientes. Aquí estoy, tratando de reconstruir mi vida y hoy no pude pagar la renta y me corrieron de mi departamento, así que no tengo dónde vivir. Nunca en mi vida pensé que esto me sucedería a mí. No quiero ponerme en vergüenza, ni avergonzarte a ti, Robert, pero estoy desesperado. No tengo donde quedarme. Me siento mal por contarte esto, pero necesito un consejo. ¿Qué puedo hacer?"

No me pidió dinero. Me pidió un consejo. Y, como resultado, ambos nos hicimos más ricos ese día.

"Yo te puedo ayudar", dije. "Viajo tanto que tengo muchos puntos de cliente frecuente para cuartos de hotel. En vez de dejar que mis puntos expiren porque nunca logro usarlos, te los voy a dar de modo que puedas tener un cuarto durante un par de días."

Lo que no le dije fue que le había reservado una suite, no por un par de días nada más, sino por diez días.

Nunca tuve noticias suyas.

Unos meses después, mientras viajaba dando conferencias, las multitudes de mis seminarios crecieron. Yo no sabía por qué. No estaba haciendo nada diferente. Pero la gente de mis seminarios comenzó a buscarme y a decir: "Robert, me inscribí en tu seminario por esa carta tan sorprendente que leí en Internet. Y voy a comprar todo tu material... y voy a hablarles de ti a mis amigos".

Esto sucedió una y otra vez. Bueno, viajo tanto que no paso mucho tiempo en Internet, así que no podía saber de qué carta estaban hablando. Luego una noche decidí verla yo mismo.

Obviamente era el tipo al que le había ayudado dándole la suite en el hotel durante diez días cuando no tenía a dónde ir. Había entrado a todas las páginas financieras y a todos los *blogs* de Internet y había escrito la historia de cómo yo lo había ayudado. Su carta terminaba con las palabras: "Robert es de lo mejor".

Esos pocos puntos de cliente frecuente que le di a ese hombre me trajeron cientos de miles de dólares en asistencia, una recompensa que nunca habría imaginado.

EQUILIBRIO

La razón principal por la que me concentro en las dos leyes espirituales de la riqueza, la ley de obtener y la ley de dar, es el equilibrio. Hay un punto de apoyo en el universo. Por un lado está la riqueza que te llega. Eres el receptor de la abundancia. Por otro lado está la riqueza que fluye de ti hacia los demás. Eres quien da. Ambas son importantes. Ambas deben estar en perfecto equilibrio.

De hecho, una amiga mía usa dos brazaletes de plata. El de la izquierda es para recordarle mantener la mano abierta para recibir. El de la derecha es para recordarle que debe extender la mano y dar. Cada uno está grabado con una de las leyes espirituales de la riqueza.

Siempre he pensado que es una forma excelente de mantener en mente las dos leyes. Puedes ver esos brazaletes en mi página de Internet www.GetRichWithRobert.com.

DESPRÉNDETE

Finalmente, despréndete. Entrégate a la energía de la riqueza. Confía en la abundancia, en tu derecho de recibir y en tu generosidad para compartir.

Sólo hay una cosa segura respecto de las leyes espirituales de la riqueza, marcan toda la diferencia en si te conviertes en un idiota rico o sigues siendo un LCQ.

Tu plan de acción para poner todo de cabeza
del idiota rico

1. Escribe cinco formas en las que vas a recibir riqueza.
2. Escribe cinco formas en las que vas a dar riqueza.
3. Escribe cinco cosas por las que te sientes agradecido.
4. Escribe tres personas a las que perdonas.
5. Escribe esta afirmación y léela dos veces al día: *Recibo la abundancia del universo con agradecimiento. Doy con generosidad a los demás.*

SEGUNDA PARTE

Listos

Una meta te hace rico, más de una te deja en la quiebra

Lo único que buscamos es una meta, una meta.
Lo único que necesitamos es una meta.

-EIFFEL 65

El poder de uno

Si has estado comprando y leyendo toneladas de libros de autoayuda, probablemente tienes largas, largas listas de metas. Después de todo, eso es por lo que abogan todos. "Necesitas metas", dice el mantra. Y necesitas escribirlas... necesitas leerlas todos los días... necesitas tener por lo menos 101... ¿te suena familiar?

Muchos de esos libros también te dicen que dividas tus grandes metas en metas secundarias. Así que para ahora ya habrás usado un montón de papel y habrás enlistado como meta cada cosita que esperas tener, lograr o ser. Has clasificado y catalogado esa enredada masa de metas en carrera, familia, relaciones, salud, ejercicio y dieta, tiempo libre, ingreso, ahorros, inversiones y riqueza, incluso metas espirituales.

Has enlistado el automóvil que quieres, la casa que quieres, las tardes entrenando a la liguilla que planeas tener, los cursos que vas a tomar, las cenas íntimas que vas a organizar para mantener vivo el romance, las vacaciones que vas a programar, la propuesta que te va a permitir lograr ese ascenso en el trabajo, el gimnasio al que te vas a inscribir, los kilos que vas a bajar, el agua que vas a tomar en vez del vodka o la cerveza, la llamada telefónica semanal que vas a hacerle a tu madre, la cochera que vas a limpiar, el negocio que vas a iniciar, la chequera que por fin vas a tener con saldo... ¡vaya!

¿Cuántas de esas metas has logrado en realidad? ¿Cuántas *lograrás*? ¿Qué te ha dado este ejercicio masivo de escribir metas, además de la frustración del escritor y una sensación cada vez mayor de fracaso personal? Obviamente tu manía de fijar metas no ha producido grandes resultados... de lo contrario no habrías comprado este libro, ¿verdad? Las metas y fijar metas altas está bien, pero si no te ha funcionado, tal vez haya una mejor manera.

> ¡Recuerda!
> Fijar demasiadas metas es como querer dar en el blanco
> con una escopeta. Fijar una meta es como querer dar
> en el blanco con un rayo láser.

¿Por qué *es* así? Bueno, es bastante obvio cuando te detienes a pensarlo. Escribir cientos de metas dispersa tu concentración y tu energía. Y esa dispersión debilita tu resolución y te hace vulnerable a sentimientos de fracaso. Esos sentimientos atraen más fracaso. Y terminarás por rendirte. Sé que tengo razón porque antes de convertirme en un idiota rico y aprender a fijar metas, hice lo mismo: apunté a cientos de blancos y no le di a ninguno.

Así que esto es lo que quiero que hagas: toma todas tus metas y arrójalas a la basura. Así es… a la basura. (¿A poco no te sientes liberado desde ahora?)

La verdad es que los idiotas ricos no tienen listas y listas de metas. Los idiotas ricos sólo tienen *una* meta, y se trata de una meta muy GRANDE, trabajan hacia esa meta todos los días.

> ¡Recuerda!
> Los idiotas ricos tienen una sola meta.
> Los idiotas ricos trabajan hacia esa meta todos los días.

ÉSTA ES LA ÚNICA META QUE NECESITAS

¿Y cuál es esa meta? ¡La meta es convertirte en idiota rico, por supuesto! Porque una vez que te conviertes en idiota rico, estarás viviendo tu vida perfecta. Tendrás dos cosas que los idiotas ricos tienen: dinero y tiempo.

Tendrás el dinero necesario para tu casa de ensueño, ese automóvil lujoso, esas vacaciones; tendrás los medios para cuidar a tu familia y los recursos para contribuir a tu comunidad y al mundo. Como yo, serás capaz de hacer todas esas cosas y nunca volver a trabajar otro día en tu vida. Ésa es la parte económica de alcanzar tu meta.

También tendrás el tiempo necesario para atender las necesidades de tu cuerpo y tu alma y tendrás tiempo para ayudar a los demás. He sido bendecido con suficiente salud como para ser capaz de ayudar a mantener dos escuelas especiales para niños a quienes corrieron de escuelas normales (un poco como yo), así como para apoyar una obra de caridad internacional que alimenta y alberga a mil huérfanos y niños de la calle, los niños rechazados de padres drogadictos. También estoy en posición de regalar una casa a una madre soltera y a sus hijos casi cada año. Pero eso no es todo. Tengo tiempo para leer y estudiar y pensar. Tengo el tiempo necesario para aprender y pensar.

Repite después de mí. *¿Cuál es mi meta? ¡Convertirme en idiota rico!* Muy bien, acabas de fijar tu meta. ¿Qué tan difícil fue?

> ¡Recuerda!
> La meta más importante es:
> ¿Qué acción voy a realizar hoy?
> El idiota rico actúa.

TRES COSAS PARA EL ÉXITO DE LAS METAS

Ahora que has fijado tu meta, tienes que hacer tres cosas para alcanzarla. Sí, sólo tres cosas.

Ésta es la primera:

1. Decide cuánto dinero te hará un idiota rico.

Ésta es la segunda:

2. Elige el camino que vas a tomar para alcanzar tu meta de ser un idiota rico.

Ésta es la tercera:

3. Elige actividades diarias que te lleven a tu meta.

    Yo he hecho esas tres cosas con mucha rapidez. Tan sólo te va a tomar unos minutos.

PASO 1: ESCRÍBETE UN CHEQUE DE RIQUEZA DE IDIOTA RICO

Recuerdo haber visto un episodio de *Oprah* con el actor Jim Carrey, que compartió una excelente historia. Contó cómo estaba quebrado y prácticamente viviendo en su coche y luego un día se escribió un cheque por diez millones de dólares por actuar, le puso la fecha del día de gracias del año siguiente y lo metió en su cartera. Yo estaba cautivado, al igual que todo el público, cuando dijo que le llegó una oferta para hacer la película *Dos tontos muy tontos*. ¡La oferta llegó el día de gracias exactamente un año después!

Es algo muy poderoso. Y si le funcionó a Jim Carrey, también te puede funcionar a ti. Aquí hay un cheque de riqueza listo. Sólo llénalo. No dejes nada en blanco. Tengo copias en mi página de Internet www.GetRichWithRobert.com.

- Pon la fecha para cuando quieras convertirte en un idiota rico. La fecha es importante porque te obliga a comprometerte con un horizonte temporal. Sin una fecha, el cheque no tiene sentido, es más un deseo vago que una parte de tu poderosa meta.
- Pon la cantidad exacta que crees que ganarás como idiota rico. Como dice Donald Trump: "Si vas a soñar, sueña en grande". Recuerda, esa cantidad es tu sueño completo de ser un idiota rico. Debe ser suficiente como para que puedas comprar todos los juguetes que quieres, proveer a tu familia, darte el estilo de vida que anhelas y hacer posible que ayudes a otras personas. Es el primer lugar para ser generoso. Sé generoso contigo.
- Pon los servicios que darás para ganarte tu paga de idiota rico. Esto es importante. No basta decir: "Voy a ser un idiota rico" y sentarte a esperar que el universo te haga rico. Tienes que estar preparado para hacer algo, para dar algo por el dinero y la vida de un idiota rico. Jim Carrey escribió que daría "servicios de actuación" a cambio de su riqueza.

¿Qué servicios vas a dar *tú*? Si no estás seguro, no te preocupes. Para cuando hayas terminado de leer este libro, serás capaz de llenar esa línea de servicio con entusiasmo, pasión y confianza.

- Firma tu cheque y colócalo en tu cartera. Tu firma es tu compromiso. Es lo que convierte a este cheque en un contrato. Es la prenda que hará válido este cheque. Al llevarlo en tu cartera donde puedas verlo cada vez que metas o saques dinero, reforzarás su poder.

Eso es todo. Ése es el paso número 1.

Estás listo. Qué fácil fue, ¿verdad?

Recuerda, cuanto más rápido llenes el cheque, más rápido comenzarás a convertirte en un idiota rico.

Mi cheque de riqueza   Fecha _____

Pagar a la orden de _____$ _____

                             Tu nombre

Por _____   _____

          Servicios prestados   Tu firma

¡Advertencia!

Ten mucho cuidado con quien compartes tu meta.

La mayoría de las personas la criticará;

pocos la apoyarán.

¿Quieres un poco de ánimo para tu meta? Yo apoyaré tu meta y te ayudaré a alcanzarla. Sólo visítame en mi página de Internet www.GetRichWithRobert.com.

PASO 2: ESCRIBE TÚ MISMO TU MISIÓN DE IDIOTA RICO

¿Qué es una misión? Se trata de unas cuantas oraciones que resumen cómo quieres que sea tu vida. Pero es el texto personal más importante que puedes escribir. Uno de los mejores ejemplos del poder de expresar tu misión personal se ve en la película *Jerry Maguire* de 1996. Cuando empieza la película, Jerry está teniendo problemas, tratando de descifrar su vida, cuáles son sus ideales, qué es importante para él. Así que escribe una afirmación personal larga. (No entres en pánico: la suya fue demasiado larga, la tuya sólo debe tener unas cuantas palabras.) Es la expresión de esa misión lo que impulsa a Jerry a actuar como lo hace, a salir de su pueblo, probar su propio sistema de valores, ganarse a la mujer que ama y finalmente crear una vida que lo satisface.

Todas las personas que han llegado a ser superexitosas tienen una misión personal. Antes de que escribas la tuya, recuerda, se trata completamente de ti. Es tu oportunidad para pensar en lo que realmente quieres, en qué eres bueno, qué enciende tu pasión, cómo quieres vivir el resto de tu vida. ¿Listo? Empecemos.

MI MISIÓN PERSONAL DE IDIOTA RICO

Esto es muy fácil. Lo único que tienes que hacer es llenar los espacios en blanco. Así que ve por una pluma o un lápiz.

I. Mi expresión de valores

Quiero que me conozcan y me recuerden por _____

_____

_____

_____

Esto se trata completamente de ti y de lo que te resulta importante. Sólo tienes una vida, como todos. Aquí es donde decides cómo la vas a vivir. Aquí es donde escribes tus valores. Mi propia expresión de valores era algo como esto:

Quiero ser conocido y recordado por haberme dedicado a mi familia, por haber sido una buena persona, por haber creado una gran riqueza y por usar esa riqueza para ayudar a otros.

2. Mi expresión de pasión

Soy realmente bueno y me apasiona _____

_____

_____

y esto se convertirá en mi clave para abrir la bóveda del idiota rico.

Un hombre muy sabio dijo una vez: "Diviértete haciendo aquello que deseas lograr... y hazlo porque te gusta, no porque es trabajo". Yo estoy de acuerdo por completo. Se trata de lo que harías si tuvieras todo el dinero del mundo. Los idiotas ricos saben que primero viene la pasión... ¡y luego el dinero! Mi propia expresión de pasión decía:

Soy realmente bueno y me apasiona ayudar a los demás a encontrar casas, obteniendo una ganancia ética a través de ello y esto se convertirá en mi llave para abrir la bóveda del idiota rico. Y eso es exactamente lo que sucedió.

3. Mi expresión de acción

Me comprometo a _____ *todos los días en busca de mi única meta.*

Ésa es la clave. Sin acción, incluso tu única meta no puede ser alcanzada. Recuerda, la meta no es el problema para la mayoría de los LCQ, más bien el problema consiste en llevar a cabo tareas simples para alcanzar esa meta. Lo único que necesitas es tener una meta única. PERO tienes que trabajar hacia esa meta, todos los días sin falta. Mi propia expresión de acción dice algo como esto: *Me comprometo a hacer por lo menos tres cosas diarias en busca de mi meta única.*

PASO 3: ELIGE ACTIVIDADES PARA HACER TODOS LOS DÍAS

El último y más importante de los pasos para fijar tu meta es activarla. Los idiotas ricos hacen *algo* todos los días para acercarse a su meta. ¿Qué vas a hacer hoy? ¿Qué vas a hacer mañana? ¿Al día siguiente? Comprométete con una actividad o dos o tres y escríbelas.

Hoy voy a _____

Mañana voy a _____

Pasado mañana voy a _____

Y así sucesivamente.

Eso es todo. Fijar la meta del idiota rico es pan comido. Y como es tan fácil y ya lo has hecho, no hay plan de acción al final de este capítulo. Sigue adelante: date una palmada en la espalda. Relájate. Y prepárate para aprender exactamente cómo alcanzar tu meta con rapidez.

Para ser rico mañana, debes vivir como rico hoy

En el momento en que pides y crees y sabes que ya lo tienes en lo invisible, el universo entero cambia para llevarlo a lo visible. Debes actuar, hablar y pensar como si lo estuvieras recibiendo en este momento. ¿Por qué? El universo es un espejo y la ley de atracción te está devolviendo el reflejo de tus pensamientos dominantes. Entonces, ¿acaso no tiene sentido que te tengas que ver como si ya lo estuvieras recibiendo? Si tus pensamientos incluyen el hecho de saber que no lo tienes todavía, seguirás atrayendo el no tenerlo. Debes creer que ya lo tienes. Debes creer que lo has recibido. Tienes que emitir la frecuencia de sentimientos de haberlo recibido, llevar esas imágenes de vuelta a tu vida. Cuando lo hagas, la ley de la atracción moverá poderosamente todas las circunstancias, las personas y los hechos para que los recibas. ¿Cómo llegas al punto de creer? Comienza a fingir. Sé como un niño y finge. Actúa como si ya lo tuvieras. A medida que finjas, comenzarás a creer que has recibido... Ten fe. Tu creencia de que ya lo tienes, esa fe inquebrantable es tu mayor poder.

¡Cuando creas que estás recibiendo, prepárate y observa
el comienzo de la magia!

RHONDA BYRNE, *El secreto*

¿POR QUÉ ERES UN TIPO POBRE?

Si eres como la mayoría de los LCQ (¿Te acuerdas?... lado
correcto hacia arriba y quebrados) vives de acuerdo con condiciones muy estrictas. Piensas que esas condiciones te traerán
riqueza en algún futuro distante y nebuloso. Impones limita-
ciones a tu estilo de vida actual y al placer que podrías estar
obteniendo de él.

Esto es lo que te dices a ti mismo: tendré todas las cosas
que quiero cuando me haga rico. Viviré la vida de mis sueños cuando me haga rico. Tendré todo el tiempo que necesito
cuando me haga rico. Disfrutaré de mi familia y amigos cuando me haga rico. ¿Adivina qué? Ésa es una mentalidad completamente equivocada respecto de hacerte rico. De hecho, es
la forma del "lado correcto arriba" la que, en el mundo de
los idiotas ricos, como ya sabes ahora, es la equivocada. Si
comienzas a posponer todas las cosas buenas y los premios que
te harían sentir exitoso, nunca lo serás. ¿Por qué? Porque crees,
muy equivocadamente, que tu riqueza llegará en el futuro. Los
idiotas ricos saben que su riqueza está en este momento, en el
presente, y viven conforme a ello.

No juegues el juego de la espera

Los idiotas ricos saben que para volverse ricos mañana, deben vivir como si fueran ricos hoy. Muchas personas "que quieren ser ricas" lo pasan por alto. Permíteme compartir mi historia contigo. Me educaron como a la mayoría de las personas, para conseguir trabajo, trabajar hasta los sesenta y cinco años, divertirte unos años y luego morir.

Bueno, eso no tenía sentido para mí. Yo quería vivir bien *ahora*. Yo no quería tener que esperar hasta los sesenta o setenta años para viajar o vivir donde yo quisiera. No quería pasarme toda la vida trabajando y soñando con mi futuro lleno de riqueza. Quería vivir mi vida perfecta ahora y disfrutarla años y años. Lo único que me importaba era ser rico en el presente, no ahorrarlo todo para un futuro que tal vez nunca se materializaría.

¿Qué significaba vivir bien ahora? Significaba disfrutar todos los juguetes de los ricos, la ropa, los automóviles, los viajes, el lujo, los bienes. Ése era el material idiota rico que había en mí. Pero como ya sabes, también creo que para ser un idiota rico tienes que tener tiempo, un regalo preciado para compartirlo con los demás. Los idiotas ricos pasan tiempo real con sus familias. Dan a sus comunidades. Dan a obras de caridad, apoyan sus instituciones religiosas y educativas. Son benefactores de las artes y las ciencias. Ayudan a otros a salir de la pobreza y alcanzar su propia cima. Yo quería convertirme en un idiota rico espiritual también. Lo quería. ¡Quería una vida plena, feliz, exitosa! Y la quería *ahora*.

Imagina mi sorpresa cuando descubrí que no era el único idiota rico que pensaba así. Los idiotas ricos viven el momento... cada momento. Los idiotas ricos viven la vida que sueñan, salvo por el hecho de que la viven todos los días cuando están bien despiertos.

> **¡Recuerda!**
> Los idiotas ricos no esperan la riqueza que *no* tienen,
> viven la riqueza que *sí* tienen.

Ése es uno de los secretos más importantes que aprenderás.

Los LCQ viven en el futuro e ignoran las riquezas del presente. Si te sigues diciendo que no puedes tener o darte el lujo de tener la vida que quieres hoy, enviarás una señal que dice justo eso. Y el resultado será predecible... nunca serás capaz de darte el lujo de tener la vida de tus sueños. Tu actitud te impedirá sentirte rico y atraer la riqueza. Cuando te dices que tienes que esperar, ese mensaje actúa para repeler la riqueza y mantenerla a raya. Compáralo con el mensaje "lo tengo todo en este momento". ¿El resultado? El imán de la riqueza atraerá abundancia hacia ti. ¿Ves la diferencia? Deja de decir que tienes que esperar por la riqueza. Y comienza a vivir la riqueza que tienes en este momento. Y créeme, tienes más riqueza en este momento de lo que nunca imaginaste. Te voy a ayudar a revelarla y a usarla. Demasiadas personas viven una vida de lo que yo llamo "compromiso con la felicidad y el éxito". Es decir, cuando algo sucede en el futuro, entonces se permiten ser felices. No esperes. Sé hoy. ¿Por qué no?

EL PASADO, EL PRESENTE, EL FUTURO

Estás leyendo este libro porque quieres cambiar tu vida. Quieres pasar de tu pasado, que puede representar escasez, a un futuro que esperas esté lleno de abundancia. Eso es excelente. Pero no olvides hacer un alto en el presente.

Vamos a echarle un vistazo al típico LCQ. Tal vez así eres tú. Miras el pasado y lo odias. Hubo días o meses o incluso años en que estuviste quebrado, en que los acreedores te estaban persiguiendo, en que no sabías de dónde ibas a sacar el dinero para pagar tus cuentas. El pasado no fue un buen sitio para ti. Tomaste el libro esperando encontrar un mejor futuro. Quieres la vida de riqueza que sabes que mereces. Quieres los símbolos de estatus, la seguridad y el éxito que sabes puede traerte la riqueza. Y este libro te llevará a ese futuro. Pero este libro también te va a dar un gran bono en este preciso momento, no tienes que esperar para que llegue el barco de la riqueza, porque te voy a mostrar cómo vivir como rico justo en este momento y por qué tienes que hacerlo.

EL PRESENTE ES DONDE SE ENCUENTRA LA RIQUEZA VERDADERA

Piénsalo. Piensa en dónde estás en este momento. Estás en el presente. Pero si eres como la mayoría de los LCQ, sigues pensando en tu pasado de hombre quebrado con la mitad de tu cerebro, al tiempo que con la otra mitad deseas que llegue riqueza futura. Deja de hacer eso en este preciso momento. Sal del pasado. Si te concentras en tus problemas pasados bloquearás tu riqueza futura.

Así es como los idiotas ricos manejan el espacio crítico entre el pasado que quieren dejar atrás y el futuro que esperan tener. "Fingen" en el presente. Así es. La mejor forma de perder el pasado y acelerar el futuro es pretender que el futuro ha llegado. Y esta mentalidad de cabeza es uno de los mayores secretos de los idiotas ricos.

¡Recuerda!
Los idiotas ricos fingen hasta que lo consiguen.

La ciencia detrás de "finge hasta que lo consigas"

Este concepto es muy poderoso y muy real. Uno de los mejores científicos de nuestra época lo ha demostrado. Albert Einstein decía: "Cuando me examino y examino mis métodos de pensamiento, llego a la conclusión de que el regalo de la fantasía ha significado más para mí que mi talento para absorber conocimiento positivo".

La revista de deportes *Prevention* (*Prevención*) reporta: "Estudios que analizaron el enfoque 'finge hasta que lo consigas' muestran que puede tener un impacto sorprendentemente fuerte e inmediato en tus emociones".

Otros investigadores llaman a esta estrategia un atajo hacia el éxito. Hill Edwards, el fundador de los libros White Dove, escribió al respecto en los siguientes términos:

Si te gustaría alcanzar el éxito realmente rápido, en cualquier terreno, puede que quieras tomar un pequeño atajo conocido como "modelo" de PNL (programación neurolingüística). Para hacer uso de esta técnica, lo que necesitas hacer es pensar primero en alguien que conozcas que ya esté alcanzando el éxito que tú quieres. Trata de hacerlo en este momento... ve si puedes pensar en alguien que cubre el perfil, alguien que ya esté teniendo éxito realizando la actividad que necesitas mejorar. Una vez que hayas identificado tu "modelo" necesitas analizar exactamente qué es lo que esa persona está haciendo para producir los resultados. Una vez que sepas lo que está haciendo tu modelo, puedes trabajar para hacer las mismas cosas y, por la ley de causa y efecto, puedes producir los mismos resultados. El enfoque del "modelo" a menudo se denomina "finge hasta que lo consigas" pero no tiene nada de falso. Simplemente estás usando un enfoque científico para el análisis de métodos… Al final, esos nuevos comportamientos, los que están produciendo los resultados, entrarán profundamente en tu personalidad y cambiarás para mejor. Así que al final no necesitarás "fingir" porque te convertirás en el artículo genuino.

LA DULCE RECOMPENSA

Esta estrategia de "finge hasta que lo consigas" o "actúa como si" ha sido usada por algunas de las personas más exitosas de nuestra época.

Earl Nightingale cuenta cómo incluso cuando era un humilde locutor de anuncios en una pequeña estación de radio en Phoenix soñaba con convertirse en locutor de una gran cadena. Para impulsar su sueño, cada vez que salía al aire fingía que estaba de pie ante el micrófono del estudio de una cadena importante y que su voz se estaba transmitiendo por las ondas a millones de personas. Cada minuto libre que tenía, escuchaba a los locutores de la cadena a quienes quería unirse. Muy pronto sonaba como alguien con una audiencia de millones de personas.

¿Qué estaba haciendo? Estaba fingiendo que había alcanzado un éxito increíble. Estaba desempeñando el papel de una personalidad de la radio nacional. Estaba "fingiendo hasta conseguirlo".

Lo que sucedió después fue más interesante.

Después de terminar su periodo de entrenamiento de aproximadamente dieciocho meses en Phoenix, Earl se fue a Chicago, hogar de los grandes. Armado con su sueño y su año y medio de practicar su visión cada minuto, aseguró un par de entrevistas con dos de las estaciones de radio más importantes del mercado. Según cuenta:

> Nunca olvidaré aquel primer día en ese entorno bello y elegante, los pisos de mármol, los elevadoristas uniformados, los ascensores de madera brillante y fabuloso cobre… El estudio era tan impresionante como el resto del lugar, muy grande, con un gran piano para conciertos y parafernalia de efectos especiales. Caminé hacia el micrófono que estaba en pie y miré al interior del oscuro cuarto de ingenieros a través del vidrio inclinado. Comencé…

¿Puedes adivinar cómo termina esta historia? ¿Qué piensas que hizo por Earl "fingir"? Averigüemos qué fue lo que sucedió. Vamos a dejar que Earl termine su historia.

> No sólo me dieron el trabajo, me contrataron por más dinero de lo que alguna vez soñé ganar.

Sí, PERO…

Muchas personas me dicen: "Sí, pero no puedo vivir en el presente, Robert. No puedo fingirlo hasta conseguirlo". Luego pasan a darme toda esta lista de razones de por qué no:

- No puedo darme ese lujo.
- No tengo tiempo.
- Así no me educaron.
- La gente va a pensar que soy un esnob.
- Así no soy yo… yo soy una persona de pantalón de mezclilla.

La importancia del juego de rol del idiota rico

Entonces, ¿qué les digo a esas personas que responden "sí, pero"? Escucha.

Les digo que si se dicen a sí mismos que no pueden darse el lujo, se están enseñando a pensar como "quebrados" en lugar de como "ricos". Eso no te va a convertir en un idiota rico. Lo que deberías estar preguntando es: ¿Cómo *puedo* darme ese lujo? O ¿Cómo *puedo* tener la misma sensación de riqueza con los recursos que tengo? Los idiotas ricos piensan: "cómo puedo", no piensan "no puedo".

Me dicen que no tienen tiempo. Yo les digo que todo el mundo tiene exactamente la misma cantidad de tiempo: veinticuatro horas al día, 365 días al año. Necesitas empezar a pasar tiempo haciendo lo que te convierta en un idiota rico. Los idiotas ricos trabajan por tiempo más que por dinero.

Me dicen que así no fueron educados. Yo les digo que todos fuimos educados escuchando lo mismo: "No salgas sin abrigo o te dará un resfriado". En realidad, salir sin abrigo no es la causa de los resfriados, sino los virus. Es sólo una en la larga lista de "mentiras" que nos cuentan para que sigamos obedeciendo las reglas. Si sigues creyendo esas mentiras y continúas siguiendo las reglas, vas a seguir siendo un LCQ. En cambio, cuestiónalo todo y decide la validez de cada afirmación que escuches. Cada vez que escuches "no eres lo suficientemente listo" o "no eres lo suficientemente bueno" o "nunca lo lograrás", pregúntate: "¿esto es verdad o es sólo una mentira más como la de atrapar un resfriado por salir sin abrigo?" Luego cambia cada una de esas afirmaciones por "*Soy* lo suficientemente listo" y "*Soy* lo suficientemente bueno" y "¡Lo voy a lograr!" Y observa los resultados exitosos. Los idiotas ricos piensan por sí mismos.

Me dicen que la gente pensará que son esnobs. Yo les digo que empiecen a salir con gente nueva. Un buen amigo querría que fueras exitoso, rico y que vivieras tu vida perfecta. Si eso no es lo que estás escuchando de tus amigos y parientes, hazlos a un lado y sigue adelante.

Me dicen que no se sentirían cómodos. Sé a qué te refieres. ¿De dónde viene eso? Hoy, en este momento, tienes que lidiar con este problema y sentirte cómodo contigo, como una persona feliz, rica, exitosa.

DESHAZTE DE TU TERRIBLE MENTALIDAD

Deshazte de esa "terrible mentalidad" porque te *mereces* lo mejor. *Puedes* tener lo mejor. *Eres* lo mejor. Reemplaza cualquier otro pensamiento negativo o de desprecio hacia ti mismo por estos pensamientos de idiota rico.

Piensa en qué es lo mejor para ti. ¿Cómo es tu vida perfecta? ¿Qué quieres lograr? ¿En qué quieres contribuir? ¿Qué quieres disfrutar hoy y dejar atrás para mañana? ¡Responde que estás listo para convertirte en un idiota rico en este momento!

ESTÁ BIEN, ROBERT, ¿CÓMO HAGO PARA VIVIR RICO CUANDO ESTOY QUEBRADO EN ESTE MOMENTO?

"¿Cómo hago para vivir rico cuando estoy quebrado en este momento?", te preguntas. Te voy a dar muchas formas de hacerlo. Pero primero quiero compartir contigo una historia que me contó mi amiga Kaye sobre algo que le sucedió el día en que descubrió este secreto particular de idiota rico, es decir, que para ser rico mañana uno tiene que vivir como rico hoy.

En noviembre, hace más de veinte años, estaba en Nueva York. Estaba buscando trabajo. Tenía dos bebés que cuidar y poco dinero que rápidamente se me estaba terminando.

Un día tras otro caminaba por esas frías calles sin ninguna suerte. Avanzada la tarde del cuarto día, me di cuenta de que tenía apenas suficiente dinero para dos días más, si era muy cuidadosa.

Estaba oscureciendo y un viento húmedo que corría a través de los árboles de Central Park me caló hasta el hueso. Pensé en un plato de sopa caliente y di vuelta a la esquina, en busca de una cafetería. En cambio, me encontré frente al magnífico hotel Plaza.

Algo, quizá tan sólo el anhelo de calor, me empujó adentro. El recibidor tenía muchas luces brillantes. Un vals de Strauss llenaba el aire, compitiendo suavemente con el sonido de la risa y el chasquido de las tazas de porcelana al tocar los platos. Se estaba sirviendo el té de la tarde en el famoso restaurante Palm Court del hotel Plaza.

El capitán de meseros se me acercó y, sin pensarlo, pedí una mesa para una persona. Me acomodó en mi asiento y me dio la carta. Vi los precios. El té en el Plaza me costaría casi el resto de mi preciado dinero para comer.

Sin embargo, me dolían los pies y era agradable sentarse. Acomodada en mi silla dorada en la pequeña mesa cubierta por un mantel de tela pesada, me sentí rica. Me gustó la sensación. Tenía tanto tiempo sintiéndome quebrada, asustada y sola, que se sentía bien fingir que era una de las ricas... fingir que pertenecía.

Y como soy una persona a la que le gusta hablar, como estaba sola, como tenía tantas ganas de pertenecer y conectarme con otro ser humano en esa fría ciudad, comencé a conversar con el capitán de meseros. De manera abrupta, comencé a decir que estaba buscando trabajo, que en casa tenía dos bebés que necesitaban que los mantuviera. Que ese té me estaba costando el resto del preciado dinero que tenía para comer y que un plato de sopa en una cafetería o en un restaurante de hamburguesas habría sido algo mucho más sensato. Le conté que sólo había querido sentirme especial durante unos minutos en ese cuarto encantador, donde todas las luces brillaban, donde toda la gente era hermosa y la música llenaba mi alma.

El capitán de meseros no dijo una sola palabra. Así que al final ordené una jarrita de té. Él no hizo otra cosa que escuchar, luego se dio la vuelta, luciendo bastante severo. Me sentí estúpida por haberle abierto mi corazón y mi boca a un perfecto extraño.

Pero me aflojé los zapatos y presioné mis pies adoloridos en el tapete cálido y suave. La música sonaba por encima de mi cabeza. Durante ese momento me sentí segura. Me sentí como si perteneciera. Cerré los ojos.

Cuando los volví a abrir, el capitán de meseros estaba de pie frente a mí. En vez del té que yo esperaba, en una mano sostenía una botella de champaña francesa y en la otra un enorme plato de fresas de invierno. Los colocó frente a mí, sonrió y dijo: "Bienvenida a Nueva York, cortesía del Plaza". Lo miré y los ojos se me llenaron de lágrimas de gratitud. En ese instante supe que era rica... y que lo iba a ser aún más.

Justo al día siguiente encontré trabajo. Creé un hogar. Crié a mis dos bebés. Y cada año regresé al Plaza a tomar té. La luz brillaba. La música sonaba. Y yo me quitaba los zapatos y presionaba los pies sobre la alfombra cálida y suave. Y cada año ese mismo hombre amable que me había llevado la riqueza de la amistad en ese día solitario me servía champaña francesa y fresas.

Luego murió. Ahora cada año, en noviembre, regreso al Plaza e imagino que estamos juntos. Llevo una canasta y compartimos un plato de fresas de invierno y una copa de champaña francesa. Se hizo mi amigo y yo no estuve sola. Y yo doy crédito por mi éxito y mi riqueza de hoy a esa tarde en que fingí ser rica en Nueva York.

¿Por qué crees que te conté la historia de Kaye? Ella tuvo elección. Pudo elegir ser una LCQ o una idiota rica.

Pudo haberse sentado en una cafetería mal iluminada, sobre un gabinete de vinil rojo. Pudo haber tomado una carta manchada y haber ordenado una hamburguesa barata y papas grasosas. Pudo haber tomado el café de un tarro de cerámica grueso. Pudo haber abierto un vasito de sustituto de crema y un sobrecito de papel con azúcar y pudo haber revuelto todo con una cuchara doblada. Eso habría sido lo sensato, dado que estaba en la quiebra. Pero eso la habría hecho ser una LCQ.

> ¡Recuerda!
> Los idiotas ricos creen que merecen lo mejor
> que la vida puede ofrecer.

Kaye sabía en lo profundo de su interior que no era una LCQ sino una idiota rica. Sabía de manera instintiva que era mejor sentarse bajo un candelabro de cristal en una silla de brocado. Sabía que era mejor disfrutar fresas de invierno servidas en un plato de porcelana. Sabía que las notas de un vals de Strauss eran más tranquilizadoras para su alma que el rechinido del tráfico de la ciudad. Sabía que merecía las cosas más finas de la vida. Todavía no era una idiota rica, pero sabía que nunca sería una a menos que "fingiera hasta conseguirlo", ¿qué hay de ti?

CREA UNA PARED DE RIQUEZA

Es importante que te sientas muy cómodo con verte, sentirte y actuar como un idiota rico. Una de las mejores formas de hacerlo y de atraer todos los maravillosos placeres de la riqueza es crear una pared de riqueza. Piensa en ello como utilería, como una herramienta necesaria en tu camino hacia tu nueva vida. (Ve una muestra en www.GetRichWithRobert.com.)

Busca una pared vacía, puede ser tu dormitorio, tu baño, incluso tu clóset, siempre y cuando sea un lugar que veas dos veces al día, una vez en la mañana y otra antes de irte a dormir. Ahora sal a comprarte un marco grande para fotografías, como los que se usan para colocar diplomas, y cuelga el marco vacío en la pared.

A continuación, corta imágenes y palabras de todo lo que tendrías y harías si tuvieras riqueza ilimitada y estuvieras viviendo tu vida perfecta en este momento. Pon fotos de autos, casas, vacaciones, islas tropicales, ropa y joyería. Anda, corta varios signos de pesos. No olvides el yate, el jet privado y esas mansiones. Consiéntete. Añade premios, grados y otros símbolos de reconocimiento que anheles. También corta fotos de las personas famosas a quienes te gustaría conocer. Corta las portadas de todas las revistas en las que quieres salir, los encabezados que quieres tener.

Ahora que tu pared de riqueza está cargada de juguetes, regresa y ponte serio. Agrega la riqueza verdadera. Agrega los sueños que realmente mueven tu alma. Corta imágenes de la vida que quieres para tu familia, las escuelas para tus hijos, las comodidades de seguridad para tu pareja, tus padres y tus hermanos. Busca imágenes de cómo pasarían momentos preciados juntos si tuvieras el regalo del tiempo para aquellos a quienes amas.

Todavía no estás listo. Para ser un verdadero idiota rico tienes que pasar del escenario escrito, con todos esos juguetes, e incluso la "gente que quiero" a comenzar a crear una riqueza que pueda ser compartida con el mundo. Como dijo Andrew Carnegie, uno de los mayores idiotas ricos y filántropos de

Estados Unidos, "yo decidí dejar de acumular y comenzar la tarea infinitamente más seria y difícil de la sabia distribución". Planea hacer lo que Carnegie hizo. Busca prospectos de buenas obras. Agrega becas que podrías patrocinar. Niños a quienes podrías enviar a campamentos. Madres solteras que podrías ayudar. Pueblos que podrías alimentar. Medicinas que podrías enviar. Escuelas que podrías construir y llenar de personal. Adelante, estira tu riqueza.

Casi terminas de construir tu pared de la riqueza. Sólo agrega una cosa más: ¡una enorme foto de ti sonriendo!

Esta pared de la riqueza es una de las herramientas más poderosas de la riqueza, una inspiración diaria a todo color que te llevará a alcanzar logros más allá de tus sueños más locos.

También puedes usar imanes para mantener concentrada tu visión de riqueza. Encuéntralos en www.GetRichWithRobert.com.

LOS SECRETOS PERSONALES DE ROBERT PARA VIVIR RICO HOY

Permíteme compartir algunos de los secretos que los idiotas ricos usan por todas partes para vivir como viven. Permíteme mostrarte de qué manera muchos idiotas ricos *realmente* gastan en la ropa de diseñador, los automóviles de lujo, los viajes y vacaciones en primera clase, las casas increíbles y las mejores cenas en los restaurantes más finos. Cómo logran ahorrar *y* dar al mismo tiempo. Dicho simplemente, llevan su tabla de la riqueza.

¿De qué estoy hablando? He aquí una fórmula que te abrirá los ojos respecto de qué tanto gastan los idiotas ricos (como porcentaje de su ingreso después de pagar impuestos) en comparación con los LCQ. Por favor toma nota sobre cómo se comparan esos números con tu propio estilo de vida y con tus patrones de gastos. Recuerda, los números no mienten.

Categoría	LCQ	Idiotas ricos
Casa	40%	30%
Transporte	30%	10%
Seguro/gastos médicos	10%	10%
Alimentación y comida	20%	15%
Viajes / entretenimiento	20%	15%
Ahorro	0%	10%
Obras de caridad	0%	10%
Total	120%	100%

Piensa en lo que esto significa. Muestra que algunos LCQ están endeudados 20% al año y no han dado un centavo a una obra de caridad ni han puesto nada en su cuenta de ahorros. Los idiotas ricos, por otro lado, han ahorrado el 10 por ciento de su ingreso anual, están libres de deudas y están en posición de dar dinero a otros de modo que se les devuelva más dinero. ¿Cómo se ve *tu* tabla de la riqueza? ¿Como la de un LCQ o como la de un idiota rico?

Si quieres ser rico mañana, comienza a vivir como rico hoy.

DUPLICA TU DINERO

Primero tienes que duplicar tu dinero (tu ingreso) rápidamente. Vas a necesitar más dinero para convertir tu tabla de riqueza de LCQ en una tabla de riqueza de idiota rico. Vas a necesitar más dinero para ahorrar, darlo a obras de caridad, ser capaz de tener el estilo de vida de "fingir hasta conseguirlo" de los idiotas ricos.

No entres en pánico. Puedo escucharte diciendo: "Robert, ya tengo dos empleos y apenas logro mantener la cabeza a flote de las cuentas y las tasas de interés". No estoy diciendo que para duplicar tu ingreso debas buscar un tercer empleo. De hecho, para cuando termines de leer este libro, tendrás el conocimiento, las herramientas y la confianza para dejar de trabajar por los demás, y comenzar a trabajar por ti y por aquellos a quienes quieres. Por favor entiende eso cuando digo que tienes que duplicar tu ingreso; no implica trabajar más duro. Al contrario, significa trabajar menos pero traer más. Trabajar por valor añadido. Significa obtener más de lo que gastas. Significa ser capaz de costear el estilo de vida de un idiota rico sin pagar precios de LCQ.

SE TRATA DE VALOR... NO DE DINERO

Primero, los idiotas ricos casi nunca pagan precios al menudeo por nada. Los idiotas ricos aumentan el ingreso que pueden gastar al reducir el costo de cosas materiales que quieren comprar. Los idiotas ricos entienden una de las Reglas de Robert: Todo tiene dos precios. Uno es el precio al menudeo "abierto al público", el que está en la lista de la casa de tus sueños. Es el precio de lista del automóvil que realmente quieres comprar. Es el precio que tienen los anillos en el aparador de la joyería, el precio que te da el agente de viajes cuando vas a comprar tu boleto o tu paquete de vacaciones.

Sin embargo, ése no es el precio de los idiotas ricos. Ellos pagan un precio diferente, a veces hasta 25 o 75 por ciento menos que el precio al menudeo. Los idiotas ricos compran a granel.

¿Cómo puedes obtener el precio a granel tú también? Es fácil. Y esto me lleva a mi segunda forma para hacerse rico.

Siempre negocia un mejor precio, un precio más bajo, un mejor trato, más beneficios.

> ¡Recuerda!
> Los idiotas ricos siempre piden más y menos:
> más valor y menos costo.

La siguiente historia ilustra lo que quiero decir. Estaba de viaje con dos amigos míos que son idiotas ricos (bueno, uno es un megaidiota rico). Cuando llegamos a nuestro hotel nos dijeron que no había cuartos disponibles de 200 dólares pero que tenían varias suites, al precio de 1500 dólares cada una. Dos de nosotros habíamos empezado a sacar nuestras tarjetas de crédito cuando nuestro amigo megarrico nos detuvo. "Vayan por un café", sugirió, "y déjenme encargarme del registro". Así lo hicimos. Media hora más tarde regresamos y él nos entregó una llave para la suite. "Esto es demasiado", protestamos, pensando que él había pagado por nuestro hospedaje. "Tienes toda la razón", contestó. "El precio era demasiado alto, ¡así que negocié con ellos hasta pagar 99 dólares por cada suite, Robert!", agregó, "nunca 'consigues' nada si no preguntas".

Al principio me sentí incómodo sabiendo que ese hombre inmensamente rico, que fácilmente habría podido pagar una docena de suites a 1 500 dólares había pasado media hora negociando el precio hasta ese impactante nivel. Y entonces se me ocurrió: Él realmente *es* un idiota rico. Consiguió una suite fantástica y pagó por ella menos de lo que le habría costado el cuarto de motel. Mi amigo estaba feliz. El hotel estaba feliz porque había llenado lo que de otro modo habrían sido suites vacías. Y ese asombroso megaidiota rico acababa de sumar 1 400 dólares a su red, dinero que ahora podía invertir para producir más bienes. ¿Cómo se las había arreglado para conseguirlo? Pidió un descuento y siguió pidiendo hasta obtener el mejor trato posible.

¡Advertencia!
Nada funciona todo el tiempo. Pero si *nunca* preguntas,
nunca funcionará. Garantizado.

IDIOTA RICO DE COMPRAS

En lo que respecta a las compras, ¿qué es lo que hacen los idiotas ricos específicamente? Encuentran las verdaderas ofertas. No importa dónde vivas, no importa cuánto dinero tengas en este momento. Quieres encontrar esos secretos de compras de los idiotas ricos que descubrí en mi propio camino hacia la riqueza (secretos que sigo usando todos los días). Comencemos yéndonos de compras como lo hacen típicamente los idiotas ricos para encontrar la casa de tus sueños, el auto de tus sueños, las vacaciones de tus sueños, el guardarropa de tus sueños y una mesa en el restaurante de tus sueños. Y luego te voy a mostrar cómo comenzar tu sueño de tener un plan de ahorros y hacer tu primera contribución a una obra de caridad. ¿Listo?

¡Recuerda!
Cuando un idiota rico va de compras gasta menos
dinero y obtiene más valor.

1. Casa

Sí, puedes *tener la casa de tus sueños hoy*
Empecemos con la casa, porque es el gasto más grande para casi todos. Tienes una casa o un departamento. Odias el vecindario.

Odias la casa. Odias al casero. Odias a tus vecinos. Lo único en lo que puedes pensar es en las ganas que tienes de no vivir ahí. La solución es simple: múdate. Es más simple que eso: múdate en este momento a la casa de tus sueños.

Antes de que empieces a decirme otra vez "sí, cómo no", aquí hay más formas en que los idiotas ricos logran vivir como ricos... y sí, eso me incluye.

Número 1: Negocia tu renta o hipoteca

Si has sido un buen inquilino, el casero querrá mantenerte y a menudo te pagará o te dará un mejor departamento sólo para asegurarse de que no te mudes a otro lado. Si eres dueño de tu casa y tienes una hipoteca, busca el mejor trato de refinanciamiento. Puedes negociar todos los aspectos al respecto: el costo de cierre, los puntos, el término, la tasa de interés; todo es negociable. Y cada centavo que ahorres es dinero que puedes invertir para hacerte rico.

Quiero agregar unas palabras acerca de la negociación. Negociar es sólo preguntar. No es "presionar a alguien", no es aprovecharse injustamente de otra persona, no es crear un escenario ganar-perder. Negociar es crear un resultado ganar-ganar donde ambas personas queden satisfechas con los resultados. Hay una pregunta mágica que siempre hacen los buenos negociantes: "¿Puedes hacerlo mejor?"

Número 2: Comparte tu espacio

Consigue el espacio más grande de tus sueños y renta algunas habitaciones a otras personas. Comparte tu espacio. Yo mismo lo hice y encontré una casa asombrosa en la mejor parte de la ciudad con cuatro habitaciones enormes. Acepté el trato por la propiedad y me uní a tres ávidos y adecuados compañeros. No pienses que los compañeros de cuarto son sólo para cuando estás en la universidad o para tus primeros años de carrera. Puedes rentarle a estudiantes de intercambio, ejecutivos que están en la ciudad por cuestiones de trabajo, profesores visitantes... hay muchas posibilidades atractivas.

Tengo una amiga que necesitaba trabajar en Nueva York durante seis meses. No quería comprometerse con un contrato largo. Acudió a un servicio encargado de buscar compañeros de cuarto y encontró a una viuda con un enorme apartamento en la Quinta Avenida. Vivió en uno de los edificios más lujosos de Nueva York, con vista a Central Park, sirvienta todos los días, portero y el prestigio de vivir en la Quinta Avenida, todo por mucho menos de lo que habría pagado por un departamento diminuto ella sola. Y hubo un bono también: hizo una nueva amiga maravillosa.

Número 3: Cuida casas

Algunos de mis amigos idiotas ricos cuidan las casas de otros idiotas ricos que salen de vacaciones o pasan una temporada en otra de sus casas. Ambas partes disfrutan de una situación ganar-ganar. Si estás "comenzando como idiota rico", logras vivir en una casa magnífica, con todos los elementos de la riqueza, sólo por ser la "niñera" de la propiedad. Y créeme, nada te hace sentir más rico que vivir como rico.

Número 4: Consigue un alquiler con opción

Alquilar con opción a compra es una forma popular de vivir como rico. Trae consigo muchos beneficios y pocas cosas negativas. De hecho, yo actualmente estoy usando un acuerdo de opción a compra para vivir en uno de los mejores edificios de South Beach.

Lo que tienes que hacer es lo siguiente:

- Encuentra la ubicación que quieres.
- En esa área, busca propiedades que se estén vendiendo en trato directo. Nota especialmente las que han estado en el mercado durante un tiempo. Luego ofrece alquilar la propiedad con opción a compra en el futuro a un precio predeterminado.

¿Cómo te convierte en un idiota rico hacer eso? Bueno, digamos que encuentras una propiedad de 600 000 dólares. Si tú fueras el dueño estarías pagando como 3 500 o 4 000 dólares de hipoteca, intereses, seguro e impuestos. Pero si lo alquilas con opción a compra, tu renta sería como de 1 500 a 2 000 dólares al mes. Ahora estás viviendo en un lugar sorprendente por mucho menos de lo que pagarías si fueras el dueño. Tienes los beneficios de ver cómo aumenta el valor de tu propiedad con opción a compra y tu crédito no se ve afectado. Si quieres comenzar a vivir como rico en este momento, es una idea completamente fantástica.

Número 5: Sigue la regla de los treinta minutos

Encontrarás que si buscas una casa a treinta minutos del centro de la ciudad en cualquier dirección, podrás tener casi el doble de casa por la mitad de precio. Tengo amigos que se mudaron a Washington D. C. Vieron que una casa diminuta de tres habitaciones en el centro de D. C. les costaría más de 1 millón de dólares. Imagina su sorpresa, y su alegría, cuando descubrieron que cada quince minutos que se alejaban del centro de D. C. las casas se volvían más grandes y más baratas. Se establecieron en una hermosa casa de cinco habitaciones con una cochera para tres autos en un acre de tierra en una pequeña comunidad, a cuarenta y cinco minutos de la ciudad. ¿El precio? Tan sólo 220000 dólares.

Éste no es el final de esas historias de éxito de idiotas ricos. Permíteme contarte sobre el enorme bono que la hizo aún más grande. No pasó mucho tiempo antes de que otras personas que querían comprar casa descubrieran el mismo secreto y comenzaran a comprar propiedades en el mismo pueblito, lo cual elevó los precios. Naturalmente, la casa de mis amigos aumentó de valor. ¡Apenas un año después de la compra la casa valía 310000 dólares! Nada mal. Esas personas estaban viviendo la vida rica y estaban haciendo toneladas de dinero rápido también. Simplemente pusieron de cabeza su mentalidad... ¡de la ciudad al campo!

2. Transporte

Sí, puedes *tener el auto de tus sueños hoy*
Ahora que estás viviendo en tu nueva casa, vamos a conseguir un auto que vaya de acuerdo. Todos reconocemos que un auto es más que transporte, es un símbolo de estatus. Los idiotas ricos también lo saben, pero obtienen el estatus sin el elevado precio. Así es como lo hacen:

Número 1: Compra autos usados, no nuevos
Los idiotas ricos que tienen automóviles lujosos nunca los compran nuevos, siempre los adquieren usados. Y eso me incluye. He tenido un Jaguar, un Mercedes y un Infinity y todos los compré después de que un LCQ los había comprado nuevos, los había sacado de la agencia y de inmediato había perdido 30 por ciento o más de su valor.

¿Cómo lo hago? Leo el periódico en busca de coches en oferta y, cuando encuentro una, la aprovecho. Hace varios años compré lo que en ese entonces era un Jaguar de 40 000 dólares por 18 000 dólares. Eso era menos de lo que la mayoría de los LCQ pagaban por un automóvil promedio. Justo en este momento tengo un Mercedes de 85 000 dólares por el que pagué 44 000. ¿Cómo hice para conseguir tan buenas ofertas? Hice equipo con un mayorista de coches. Él fue a una subasta en mi nombre y me consiguió el auto. Le pagué sus honorarios nominales. Y ahora manejo un coche que originalmente costó una pequeña fortuna por el mismo precio de lo que cuesta un vehículo normal nuevecito. Voy a tener ese auto alrededor de un año y te garantizo que cuando lo venda voy a recuperar prácticamente la cantidad completa que pagué por él. Así que tengo un auto excelente casi gratis. Eso es lo que me hace un idiota rico.

Permíteme contarte una historia sobre un amigo mío a quien le encanta todo lo británico... incluyendo los automóviles Rolls Royce. Cada dos años se compra un Rolls Royce clásico por aproximadamente 50 000 dólares. Maneja este increíble símbolo de estatus, riqueza y éxito. Y como esos autos ya no se hacen, cada año se vuelve menos común y más caro. Y ésta es la máxima historia de éxito de idiota rico: a menudo le vende el auto al concesionario por *más* de lo que pagó por él. El concesionario básicamente *le paga* por tener y conducir un automóvil de lujo. Tú puedes hacer lo mismo.

Número 2: Deja de tener y empieza a rentar

Hay veces para tener las cosas y hay veces para rentarlas. Un automóvil es una de esas cosas que a veces económicamente es más lógico rentar que comprar. ¿Por qué? Todo tu dinero no está atado en un activo que se devalúa y el pago del alquiler a menudo es menos que una letra, liberando aún más efectivo para otras inversiones.

3. Seguro y servicios médicos

Sí, puedes *protegerte a ti y proteger a tu familia*
Los idiotas ricos saben que para asegurar una buena salud y proteger activos, es crucial contar con un seguro de calidad. Pero enfrentémoslo: no hay mucho espacio disponible para moverse en esta categoría. Así que mi estrategia personal es ésta: reúnete con un profesional para determinar los mejores pagos mensuales y el mayor deducible que puedas pagar cómodamente. Así es. Sencillo. Guarda la mayor cantidad de dinero que puedas en este momento; más adelante en este libro aprenderás cómo hacer que trabaje para ti para construir riqueza.

4. Alimentos y ropa

Sí, puedes *cenar en el restaurante de tus sueños hoy*
Uno de los mejores beneficios de vivir como un idiota rico es que comenzarás a comer como tal y probablemente te volverás más delgado y más saludable en el proceso. ¿Por qué lo digo? Porque los idiotas ricos no comen en restaurantes de comida rápida, comen en buenos lugares donde las porciones están más controladas, los ingredientes son más frescos y la atmósfera refleja riqueza, no calorías. Los idiotas ricos compran alimentos saludables en formas que garantizan lo mejor en frescura y precio.

Número 1: Ve al mejor restaurante de la ciudad
Si quieres ir a donde van los idiotas ricos, busca el mejor restaurante de la ciudad y ve. Incluso si lo que puedes pagar es un vaso

de té helado y una ensalada, tu cuerpo, tu mente y tu autoestima estarán mejor. Y recuerda dar buenas propinas. Te recordarán y serás bienvenido cuando regreses.

Número 2: Compra de manera inteligente

Compra de manera inteligente. Únete a un club de precios bajos como Costco o Sam's Club. O visita tu mercado local para comprar directamente de quienes cultivan. Su comida es más fresca y más integral que muchas de las cosas empacadas que encontramos en los supermercados.

Sí, Puedes tener el guardarropa de tus sueños hoy

Cuando yo estaba empezando, yo era uno de los empresarios de bienes raíces mejor vestidos de Nashville, aunque no tenía dinero para ropa lujosa, compraba en tiendas locales a consignación. Ahí pagaba 80 dólares por trajes de 1 000 dólares que apenas habían sido usados. Usaba relojes magníficos que me costaban menos de lo que pagaría en una tienda departamental. Y fue entonces cuando aprendí el valor de lucir rico como un prerrequisito para ser rico. Descubrí que cuando me vestía con mi ropa de "éxito" los banqueros me creían, los abogados me trataban con respeto y los agentes hipotecarios me ofrecían mejores tratos, porque lucía como un empresario de bienes raíces exitoso. *Lucir* así iba de la mano de *convertirme* en lo que estaba vestido para ser.

Número 1: Compra en tiendas de consignación, descuento y mercancía descontinuada

Hoy en día, no frecuento tiendas de consignación, pero sí compro en tiendas de descuento y centros comerciales de mercancía descontinuada. Me encanta Symes y Filene's Basement y nunca dejo de buscar ofertas de ropa, zapatos, joyería y accesorios.

Número 2: Pregunta si pronto habrá una barata

Si estoy en una boutique o tienda departamental normal, le pregunto al vendedor si el artículo que estoy previendo comprar estará pronto en barata. No tienes idea de la cantidad de veces que me han dicho: "Sí, lo vamos a poner en barata la próxima semana, pero, ya que está usted aquí, nos gustaría ofrecerle el precio de barata". Incluso en tiendas departamentales a veces pago de 10 a 50 por ciento menos que la persona que está formada frente a mí por exactamente el mismo artículo.

5. Viajes y entretenimiento

Sí, puedes *tener las vacaciones de tus sueños hoy*

Me encanta viajar. Me encanta viajar en primera clase. Me encanta hospedarme en los mejores hoteles y resorts. Pero, como la mayoría de los idiotas ricos, odio pagar el precio completo por ese estilo de vida. ¿Entonces qué aprendí a hacer? Noté que los agentes de viajes obtienen descuentos (a menudo grandes descuentos) por reservar viajes. También obtienen muchas recompensas, como pasar de clase turista a primera clase o clase de negocios en un avión, o pasar de una habitación sencilla sin vista a una enorme suite con vista al mar. A menudo a los agentes de viajes les ofrecen viajes gratuitos a destinos fantásticos. ¿Entonces qué hace un idiota rico?

Número 1: Conviértete en agente de viajes

Decidí convertirme en agente de viajes. Fue tan fácil como llenar una forma y unirme a una organización. Ahora obtengo descuentos y comisiones importantes, mejoras automáticas e incluso viajes gratuitos a lugares asombrosos... donde he comenzado a invertir. Así que me ha ayudado a extender mis propiedades a nivel internacional.

Convertirte en agente de viajes es simple. Yo me inscribí en algo llamado Your Travel Business (Tu negocio de viajes) o YTB ¡y listo! Me convertí en agente de viajes. Tú también puedes hacerlo. Sólo acude a mi sitio especial: www.YTB.com/roberts-hemin e inscríbete. Ahora tú también eres un idiota rico.

Así que organiza ese viaje y vive rico en este momento. Por cierto, debería decirte que cuando te inscribes, yo obtengo beneficios por presentarte. Eso me hace ser un idiota rico aún mayor. Pero espera, obtendrás los mismos bienes añadidos cuando compartas tu sitio de agente de viajes con tus amigos y parientes. Recuerda, ¡los idiotas ricos quieren que otros sean ricos también!

Número 2: Cuando viajes, pide una mejora
En la mayoría de los hoteles o resorts, hay habitaciones mejores y más grandes con vistas más interesantes, pisos con mayordomo y servicios especiales e incluso suites de lujo. Al momento de registrarte, simplemente pregunta si te pueden dar algo mejor. Así es como yo animo al personal. Digo: "Si alguien puede conseguirlo, sé que eres tú". Luego le ofrezco un regalo (a menudo llevo conmigo chocolates), no para sobornarlos sino para alegrar su día. Te sorprenderá cuán a menudo un hotel cederá. ¡Listo! ¡Te acabas de convertir en un idiota rico por lo que dure tu estancia!

Número 3: Planea unas vacaciones grupales
Esto es algo que hago por lo menos una vez al año. Reúno un grupo de amigos para hacer un viaje o ir a un crucero. Esta estrategia de vacaciones también funciona muy bien para grupos

de escuelas, iglesias o grupos cívicos. Si participan suficientes personas, la aerolínea, el hotel, el resort o el barco del crucero a menudo me dan mi viaje gratis. No sólo tengo unas vacaciones excelentes, sino que las paso con todos mis amigos y lo hago gratis, sólo por haber tenido la idea y haberla organizado. Por cierto, los idiotas ricos toman una parte del precio del boleto que *habrían* pagado pero no lo hicieron y la donan a una causa que vale la pena.

Número 4: Intercambia tu casa

Personalmente nunca he hecho esto, pero mi amiga Kaye sí y le encantó. Se llama intercambio. Así es como funciona: Kaye vivía en un excelente departamento en Nueva York y quería pasar aproximadamente un mes en Londres. Aunque podía pagarlos, los hoteles en Londres son muy, pero muy caros. Así que intercambió su casa. A través de uno de los muchos sitios de Internet dedicados a intercambiar casas, encontró a una mujer con un enorme departamento en South Kensington que quería pasar un mes en Nueva York. Kaye cuenta esta divertida anécdota sobre su experiencia:

> No conocía Londres, así que realmente no sabía en qué tipo de vecindario vivía esa mujer. Ella no conocía Nueva York y no estaba segura de en dónde me ubicaba yo. Así es como resolvimos el problema: ¡Yo le dije que mi departamento estaba a diez minutos caminando de la Quinta Avenida y ella me dijo que el suyo estaba a diez minutos caminando de Harrods! Ambas nos sentimos tranquilizadas. Y resultaron ser las vacaciones más fantásticas que he tenido. Seguí pagando todos mis gastos normales de Nueva York mientras viví en su departamento y ella siguió pagando los gastos normales de su casa en Londres mientras vivió en la mía. Los únicos costos personales en los que incurrimos eran nues-

tros propios recibos telefónicos. Esta mujer no sólo compartió conmigo su casa, sino que todos sus amigos me llevaron a cenar. Me hicieron sentir como una verdadera londinense y me costó exactamente lo mismo que si me hubiera quedado en mi propio departamento en Nueva York.

¿No es obvio que Kaye es una verdadera idiota rica? Por cierto, esta cuestión de intercambiar casas puede funcionar en cualquier lugar del mundo. A miles de personas les encantaría ir a donde tú vives y ofrecer su lugar de residencia a cambio.

6. Ahorros

Sí, puedes *tener una cuenta de ahorros*

No te voy a decir que consigas un segundo o un tercer trabajo. No te voy a decir que renuncies a ninguno de los pequeños placeres que disfrutas ni a los premios que te hacen seguir adelante. Lo que te voy a decir es que ya tienes los comienzos de una cuenta de ahorros bastante sustancial. Así que vamos a encontrarla.

Número 1: Juega el juego de "cazar efectivo"

No puedes abrir una cuenta de ahorros sin efectivo. Así que vamos a encontrar un poco de efectivo para ti en este preciso momento. Primero saca el cambio que traes en el bolso y en los bolsillos, ahí hay algo de efectivo para empezar (por cierto, los centavos cuentan). A continuación revisa todos los bolsillos de toda la ropa que hay en tu clóset. Te garantizo que encontrarás más dinero. Caza en los lugares donde se juntan los cojines de los sillones. Busca en la parte de arriba de la lavadora o secadora en el cuarto de lavado. Revisa tu alhajero. Revisa en todos los libros de bolsillo y bolsas que tengas. Cuéntalo. ¿Ves? Ya tienes los comienzos de una cuenta de ahorros, sólo tienes que saber dónde buscar.

Todavía no estás listo. Hay más efectivo por ahí. Confía en mí.

Número 2: Haz una venta de garage
Ahora revisa cada habitación de tu casa y coloca un papelito amarillo en cualquier cosa que ya no uses y de la que te puedas deshacer. Sé implacable. Sé firme. Examina tu sala, tu sótano, el ático, la cochera. Si tienes un área de almacenamiento, revísala. Ahora todas esas cosas con marcas amarillas son tu segunda opción para encontrar dinero. Vas a colocar todas esas cosas en tu patio delantero o en tu cochera este fin de semana y vas a hacer una venta. No te pongas muy avaro. Simplemente obtén el efectivo que puedas por todas esas cosas que nunca usas.

Agrega esa pila de dinero a la primera. La mañana del lunes lleva esas dos pilas al banco más cercano, pero que sea un banco nuevo, no el banco en el que ya tienes tus cuentas. Y abre una cuenta de ahorros. Hecho. Has abierto una cuenta de ahorros. Has iniciado una nueva relación con un futuro amigo financiero: el banco. ¡Ya estás en camino!

7. Obras de caridad

Sí, puedes *dar a obras de caridad*
"Robert, no tengo suficiente dinero para mí y para mi familia... ¿cómo puedo darlo a otros?" Ésta es la queja más frecuente que escucho. Y mi respuesta es ésta: "Te voy a dar una lista completa de formas en las que puedes empezar a dar para volverte un verdadero idiota rico. ¡Simplemente elige una y llévala a cabo!"

Número 1: Da tu tiempo

Comienza con una hora de tu tiempo. Si tu hora vale 5 dólares, ésa es tu contribución a una obra de caridad. Si vale 8 o 10 o 100 o incluso 350 dólares, entonces da esa hora a alguien que la necesite.

- Léele a un grupo de niños en tu biblioteca u hospital más cercano.
- Sirve comida en un albergue.
- Ofrécete como voluntario para dar de cenar o llevar a pacientes ancianos a sus citas.
- Teje una cobija de bebé para una clínica.

Número 2: Da tus habilidades

Todo el mundo tiene habilidades especiales. A lo mejor tú eres excelente para cocinar. Quizá sabes carpintería o eres capaz de arreglar un coche. A lo mejor te encantan los libros. ¿Qué hay de tus habilidades con la computadora? Si tienes una habilidad, ofrécela como voluntario, eso cuenta también como una donación de caridad de idiota rico.

- Ofrécete a impartir una clase de computación.
- Ofrécete a enseñar a cocinar a madres solteras.
- Ofrécete como voluntario en un centro comunitario para enseñar mecánica.
- Ve a una iglesia local, sinagoga o mezquita y ofrécete a arreglar cosas.
- Alfabetiza adultos.

Número 3: Da tu dinero

Antes de que empieces a decirme que no tienes dinero, simplemente piensa lo poco que costaría ayudar a otras personas.

- Compra unas latas de sopa adicionales cuando vayas a la tienda. En un mes, esas compras se sumarán y podrás donarlas a alguna obra de caridad local.
- Lleva tu ropa vieja a un albergue para mujeres o a otro grupo que la pueda lavar y reciclar para aquellos que la necesitan.
- Suma un dólar a cada compra que realices y colócalo en las alcancías para donaciones que se encuentran prácticamente en todas las tiendas.
- Cómprale un sándwich a esa persona sin hogar que siempre se encuentra al final de la calle.
- Suma el 5 por ciento a la propina de ese mesero que está ahorrando para ir a la universidad.

El enfoque "finge hasta que lo consigas"
Sé que parece extraño al principio, pero si haces lo que todos los demás idiotas ricos han hecho y lo sigues haciendo, viviendo como rico hoy, con toda seguridad lograrás vivir como rico mañana mucho más rápido y con mayor satisfacción. Ahora comienza a practicar el Plan de Acción "fingir hasta conseguirlo".

TU PLAN DE ACCIÓN PARA PONER TODO DE CABEZA DEL IDIOTA RICO

Sigue este plan, empezando hoy, para crear la verdadera riqueza que deseas.

1. Vístete y sal.
Hoy, en este preciso momento, de hecho, deja este libro y ve a tu clóset. Busca tu mejor atuendo y póntelo. Ahora ve al mejor restaurante o club de la ciudad. Si no te puedes dar el lujo de

comer ahí, pide solamente una ensalada. Si no te puedes permitir gastar en la ensalada, siéntate en el bar y tómate un refresco o un vaso de agua. Observa la vajilla, el arreglo de las mesas, las flores, la música, la gente. ¿Lo ves? Ahora eres uno de ellos. Conserva ese sentimiento. Mantenlo cerca. Te convertirá en un idiota rico pronto.

2.   Realiza una prueba de manejo del auto de tus sueños.
Ve a la agencia que vende el coche de tus sueños y realiza una prueba de manejo. Disfruta cómo se siente, escucha el ronroneo del motor, huele ese olor a piel de coche nuevo. Ahora conserva esa sensación. Mantenla muy cerca. Ese auto será tuyo muy pronto.

3.   Pide un descuento o una mejora en el producto.
Consigue hoy un descuento o una mejora en un producto con tan solo pedirlo. Pide que te den el precio de barata de algún artículo de tu tienda departamental local. Ve a un hotel y pide que te den una mejor habitación. Ve a un restaurante y no aceptes la primera mesa que te den… pide una mejor. Puede que al principio sientas raro, pero sigue practicando. Pronto estarás disfrutando de todos los gustos que conforman el estilo de vida de los idiotas ricos.

4.   Abre una cuenta bancaria especial.
Cualquier descuento o ahorro que consigas, coloca la cantidad exacta en una cuenta de ahorros nueva llamada "mírame, soy la cuenta bancaria de idiota rico". Ahora observa lo rápido que crece. Ese dinero es tu futuro dinero para invertir. Ese dinero es dinero que ganaste negociando. Es dinero que te llegó cuando aumentaste tu ingreso.

Los idiotas ricos no se hacen ricos solos

Unirse es un comienzo. Mantenerse juntos es progreso.
Trabajar juntos es éxito.

HENRY FORD

EL MITO DE LA HISTORIA DE ÉXITO INDIVIDUAL

Imagina lo siguiente: es la última escena de la película. Ahí está de pie el solitario empresario. El hombre que, solo, contra todas las posibilidades construyó un imperio multimillonario. La cámara lo capta alto, orgulloso y, por supuesto, bronceado; luego hace un paneo lento a un paisaje donde se ven los logotipos de todas las marcas que ahora se encuentran bajo su control financiero, hasta la imagen final. Ahí está, un globo que gira y el anzuelo para la continuación: "Salvó las fortunas de un país... ¿puede salvar el mundo?"

Estados Unidos ama ese mito. Lo hemos amado desde la primera vez que leímos las historias de ricos de Horatio Alger. Lo hemos amado desde la primera vez que vimos *El llanero solitario*. El mito incluye gran drama, pero, por supuesto, *es* un mito.

Lo que *es* cierto es que ningún idiota rico se convirtió en alguien exitoso o tuvo éxito financiero solo.

Y ése es uno de los secretos de cabeza más poderosos descubiertos por los idiotas ricos.

> ¡Recuerda!
> Los idiotas ricos no se hicieron ricos por sí mismos.

Piensa en el caso del inventor Tomás Edison. Nos gusta pensar que estaba solo, día tras día intentando un experimento fallido tras otro para encender una bombilla. Nos gusta pensar que estaba en un espléndido aislamiento sin otra cosa que su voluntad y un sándwich de queso ocasional o una manzana para sostenerse. Nos gusta pensar en él motivándose en la oscuridad con las palabras que ahora son famosas: "No he fracasado. Simplemente he encontrado diez mil maneras que no funcionan". Ése es el mito.

Sin embargo, revisa la realidad de Edison. El viejo Alva tenía un laboratorio repleto… ¡veintiún asistentes y personal de apoyo! ¿No es impactante? Cuando un día le preguntaron por qué empleaba un equipo de veintiún asistentes, Edison contestó: "Si yo pudiera resolver todos los problemas solo, lo haría". Él sabía que los equipos son un factor crítico en el éxito y que los idiotas ricos no llegan a serlo por sí solos.

Edison no es el único que lo descubrió. Un ejemplo más contemporáneo es el gran jugador de básquetbol Michael Jordan. Al describir la importancia de los equipos en los deportes dijo: "El talento permite ganar juegos, pero el trabajo en equipo permite ganar campeonatos". Incluso ese atleta exitoso superestrella no llegó a la cima solo. El equipo es crítico para el éxito del individuo.

Refiriéndose al éxito en los negocios, el gurú de la administración Ken Blanchard ha dicho: "Ninguno de nosotros es tan listo como todos juntos". En los negocios, el concepto de equipo puede ser una propuesta de hacerlo o romperlo. Una de las razones más frecuentes para el fracaso de compañías es que el empresario intenta hacerlo todo… y fracasa, a menudo llevándose al caño su negocio, su inversión y su sueño. Las organizaciones que disfrutan de una ventaja competitiva construyen equipos fuertes y sospechan de las llamadas balas perdidas, individuos que tratan de actuar por su cuenta.

Incluso uno de los éxitos empresariales más celebrados en la historia de los negocios de Estados Unidos, Andrew Carnegie, admitió que "el trabajo en equipo es la habilidad de trabajar juntos hacia una visión común. Es el combustible que permite que la gente común alcance resultados no comunes." Y Carnegie sin lugar a dudas fue el Bill Gates de su siglo. Ahora, hablando de Bill Gates…

EL ACTO SOLITARIO DE BILL GATES

¿Qué supones le sucedería a Microsoft si Bill Gates lo hiciera todo él mismo? Simplemente imagínalo. Ahí está Bill armando todos esos chips y cosas que hacen que Microsoft funcione. Ahí está escribiendo el texto. Ahí está diseñando las bellas gráficas. Ahí está negociando en todo el mundo para encontrar los mejores proveedores. Ahí está empacando esos componentes de Windows en cajas y llevándolas al correo.

Pero espera, todavía no está listo. Aún tiene que comprar anuncios, tomar pedidos, responder correos electrónicos y llamadas y lidiar con desperfectos. Luego tiene que hacer cheques para pagar a sus proveedores, llevar sus depósitos al banco y llevar sus cuentas.

En medio de todo esto, tiene que llevar a sus hijos a la escuela porque es el día que le toca la ronda, tiene que programar una cena romántica de modo que no deje de lado a su esposa, tiene que entrenar a la liguilla y llevar el coche a un cambio de aceite.

Es ridículo, ¿verdad? Si Bill hiciera todo eso él solo, ¡no sería el idiota más rico del mundo! Sería un LCQ, un LCQ muy cansado como tú. Ahí está la lección. Y, no obstante, eso es exactamente lo que intenta hacer la mayoría de los empresarios.

UNA LECCIÓN DE DONALD TRUMP

Ésta es otra historia que señala la necesidad crucial de reclutar ayuda. Es una lección que recientemente me dio ni más ni menos que Donald Trump. Éramos ponentes en la misma "Exposición de aprendizaje sobre riqueza", junto con otros expertos en riqueza. Mientras tomábamos un descanso en el salón de los ponentes, sonó el celular de uno de ellos. Lo contestó. Cuando terminó su conversación, Donald se le acercó y dijo: "No ganas suficiente dinero". El ponente contestó: "Donald, tal vez no sea tan rico como tú, pero me va muy bien". Donald señaló: "No ganas suficiente dinero; de lo contrario, no tendrías que contestar tú mismo el teléfono". Y eso ilustra el punto principal aquí: si intentas hacerlo todo tú solo, fracasarás. Si usas el poder O. P. (es decir el poder de otras personas) tendrás éxito.

El poder de O. P. separa a los LCQ
de los idiotas ricos

En las siguientes páginas vas a aprender exactamente cómo aprovechar la mejor fuente de los idiotas ricos… el poder O. P. Aprenderás cómo identificar, encontrar y atraer a otras personas. Aprenderás a distinguir entre verdadero y falso O. P. Aprenderás a ponerlos en grupos para obtener la máxima ventaja. Aprenderás que necesitas diferentes O. P. con diferentes bienes que ofrecerte en tu viaje hacia la riqueza. Aprenderás cómo formar un equipo de ensueño de O. P. y cómo hacer una rápida revisión para asegurarte de que te van a ayudar a alcanzar tu sueño personal.

Así que no pienses que tienes que hacerlo todo tú. De hecho, *sigue* pensando así y tu espléndido aislamiento garantizará que sigas siendo un LCQ.

Por cierto, con el simple hecho de comprar este libro y permitirme la entrada has sumado un Robert Shemin a tu equipo de O. P. Ves que no fue tan difícil, ¿o sí?

La historia del rascacielos

Digamos que quieres construir un gran negocio, crear un enorme imperio. Quieres mucha riqueza. Quieres construir un monumento, un edificio con tu nombre en la cima escrito con luces. Decides que el edificio tiene que elevarse cien pisos y dominar el cielo. Adelante. Sueña en grande.

Pero nunca antes has construido nada en tu vida. Así que dices: "Quiero construir un edificio de cien pisos. En realidad no sé cómo. No soy constructor. No soy contratista. No soy alguien dedicado a crear desarrollos, pero me gustaría hacerlo". Así que ¿cómo puedes convertir en realidad es la visión?

¿Cómo lo haría un LCQ? La gente que sigue pensando con el lado correcto hacia arriba probablemente intentaría llevar a cabo sola todo el proceso. Aprenderían a construir, a lidiar con códigos y leyes regionales. Se prepararían en tipos de construcción. Tomarían un curso sobre financiamiento. Probablemente aprenderían lo más posible sobre arquitectura, permisos de construcción, derechos de aire y todos los millones de detalles que tienen que encajar a la perfección para que alguien construya un edificio… cualquier edificio no sólo uno de cien pisos de altura.

Ahora digamos que eres un idiota rico que quiere construir un edificio de cien pisos. ¿Qué haces? Encuentras un constructor, un contratista, un arquitecto y expertos especializados en finanzas. Conformas un equipo de personas que *juntas* saben cómo crear un edificio de cien pisos y conectar en la cima las luces con tu nombre… correctamente.

¿Y luego qué?

Bueno, pones a trabajar como locos en el proyecto a todos los miembros de tu equipo. En unos cuantos meses (es un equipo *poderoso*) tienes un edificio de cien pisos, el más grande de la ciudad. Y tiene tu nombre. En la ceremonia inaugural, lees tu discurso y naturalmente das gracias a esa increíblemente larga lista de personas que "lo hicieron posible".

Así que he aquí la pregunta del millón de dólares: ¿Cuándo se construyó realmente el edificio? ¿Se construyó cuando el arquitecto hizo los planes, cuando la ciudad aprobó el proyecto, cuando se levantó la primera paletada de tierra, cuando se colocaron los cimientos, cuando se encendieron las luces o cuando se cortó el listón en la inauguración?

> ¡Recuerda!
> Es la bellota, tonto… no el árbol.

Te diré cuándo fue construido por primera vez el edificio. En el instante en que *tú* pensaste en él por primera vez. Y ésa es la segunda parte del secreto O. P. Es cierto, los idiotas ricos nunca se hacen ricos solos, pero la idea, el sueño, la visión pertenece primero y siempre al visionario, al idiota rico que quería hacerlo realidad y que reclutó a otros para que lo ayudaran a convertir su idea en realidad.

Así que para que te conviertas en alguien muy rico y exitoso, ¿dónde comienza y dónde termina? Con la idea de convertirte en una persona rica y exitosa, ¿cierto?

> ¡Recuerda!
> El idiota rico enciende la chispa;
> Otras personas crean el fuego.

Robert "antes de o. p.": una historia de la vida real

¿Sigues sin estar convencido? Así es como era mi vida *antes* de aprender el secreto del poder de O. P.

Hace muchos años, cuando estaba comenzando mi propio viaje hacia la riqueza, comencé invirtiendo en bienes raíces… mi primer camino de idiota rico. Las cosas fueron bastante bien al principio. Compraba propiedades. Solicitaba financiamiento. Llevaba la contabilidad. Era mi propio agente de bienes raíces. Estaba armando equipos de contratistas, así que se puede decir que yo era mi propio contratista general. También inspeccionaba las propiedades, las vendía, asistía a los cierres de tratos… todo.

Claro, mi negocio crecía a ritmo constante, pero mi vida personal era un caos. Estaba trabajando demasiado, así que mi vida personal se vio afectada, mi vida familiar se vio lastimada, mi vida espiritual no estaba donde debía. Y lo más extraño era que aunque trabajaba todo el tiempo, no estaba ganando una tonelada de dinero. Incluso mis fines de semana estaban llenos de negocios porque cada vez que me tomaba un sábado libre lo pasaba preocupado por todas las cosas que no había terminado el viernes. Y cuando me tomaba libre el domingo, lo pasaba preocupado por todas las cosas que me esperaban el lunes por la mañana.

Lo peor es que me sentía cansado, malhumorado y temeroso de cometer muchos errores que pudieran costarme el dinero que con tanto trabajo había ganado. El punto es que estaba tratando de hacerlo todo.

¿Qué ocurrió? Me dieron un muy buen consejo y lo seguí. ¿Cuál fue ese consejo? Es el mismo consejo que te estoy dando en este capítulo: *No lo hagas todo tú solo.*

Después de tomarme muy en serio ese consejo, encontré un equipo de gente para ayudarme. Contraté a una compañía de administración para que me ayudara a administrar mis propiedades. Contraté a un contratista para lidiar con reparaciones y trabajadores. Contraté a un contador que pagara las cuentas, hiciera los depósitos y llevara mis cuentas. Además de pagarles a esas personas, los hice mis socios de una manera pequeña, dándoles una parte de propiedad en el éxito de la empresa. Cuanto más crecía el negocio, más ricos éramos todos.

¡Recuerda!
Los puercos engordan. A los marranos los matan.
Permite que otros también ganen dinero.
No seas demasiado avaro.

Los idiotas ricos siempre comparten con aquellos o. p. que les han ayudado. *Siempre*. Pregúntate si compartes lo que ganas con aquellos que te ayudan a conseguirlo o si acaparas tu ingreso y tus ganancias. Cuando te "asocies" en la riqueza con todos los que te ayudan a ganar, ahorrar, crear y construir, tu riqueza aumentará drásticamente. Los incentivos estimulan a otras personas a hacer su mejor esfuerzo por ti, porque al ayudarte esas personas también se están ayudando a sí mismas a ser más ricas. Y la enorme rueda de la fortuna sigue girando.

Cuando me percaté del poder de convertir a Otras Personas en mis socios de negocios, di un gran paso y nunca he vuelto la vista atrás.

¿El resultado? ¡Tripliqué mi ingreso! Lo que es aún más importante, pude disponer de tiempo precioso para pasarlo con mi familia y mis amigos. Fui capaz de cuidar mis propias necesidades físicas, intelectuales y espirituales. Recuperé mi vida. ¡Recuperé mi alma!

Así que escucha con atención. Conviértete en el director ejecutivo de tu vida. Tú generas las ideas y la pasión; los demás te ayudarán a convertir tus sueños en realidad.

Ése es uno de los mayores secretos de los idiotas ricos. En el minuto en que pones de cabeza tu mentalidad y confías en el poder de o. p., la magia comienza a suceder.

Cómo dejar entrar la magia de o. p.

Mientras estás sentado leyendo este libro, ¿te sientes solo? Probablemente estés pensando: "¿*Cómo* puedo llegar a convertirme en un idiota rico? ¿*Cómo* me va a suceder a mí? Tengo tanto que hacer. ¿*Cómo* puedo hacerlo todo?" Escúchame con atención.

No tienes que saber cómo hacerlo todo tú. Permíteme volver a enfatizarlo: Puedes convertir en realidad tus más locos sueños de riqueza y convertirte en un idiota rico tú mismo a través de la magia del Poder de O. P.

Comienza por hacer tres cosas para acelerar y garantizar tu éxito:

1.   Deshazte de O. P. que *quieran* que sigas siendo LCQ.
2.   Busca O. P. que *quieran* que seas un idiota rico.
3.   Crea tu propio equipo de ensueño de O. P.

TRES TIPOS DE O. P.

Hay tres tipos de O. P. Los primeros son los Tóxicos, de quienes querrás deshacerte lo más rápido posible. El segundo son los Facilitadores, quienes ya son idiotas ricos. El tercer tipo conformará el equipo de tus sueños. A partir de este momento, cada vez que alguien te dé un consejo, evalúalo colocando a la persona que lo da en una de las siguientes categorías:

* Tóxicos
* Facilitadores
* Equipo de mis sueños

Los tóxicos

Esta categoría puede ser difícil, porque contiene personas que significan mucho para nosotros… incluyendo familiares y amigos. Puedes quererlos, pero a menos que ellos mismos sean idiotas ricos expertos, *nunca* escuches los consejos que te den.

Los tóxicos se manifiestan en las siguientes categorías secundarias.

1. El grupo *"de las buenas intenciones"*

Estas personas tóxicas no tienen ni la menor idea de lo que están hablando. Por desgracia, la mayoría de las personas obtiene algunos, si no es que todos, consejos de riqueza del grupo "de las buenas intenciones". Por ejemplo, a tu primo en segundo grado que trabaja dando la bienvenida a los clientes en una tienda departamental de mercancía rebajada le encanta contarte sobre cómo invertir en la bolsa es algo que nunca funcionará. ¿Cuál es su razonamiento? Que nunca le funcionó a él. Las personas están programadas para decirte que nunca harás algo en particular porque ellas nunca lo han hecho.

Permíteme preguntarte esto: ¿Llevarías a tu hijo a que le hiciera una operación del ojo un cirujano especialista en pies? Por supuesto que no. ¿Por qué? ¡Obvio! Porque un cirujano especialista en pies sabe de pies, no de ojos. No prestes atención a las personas de esta categoría, a quienes les encanta darte consejos de "expertos" sin nunca haber seguido el consejo que descartan de manera tan radical. Descubre si esas personas bienintencionadas simplemente "hablan por hablar" sin saber nada de nada. Si resulta que nunca han hecho nada por convertirse en idiotas ricos, *nunca* sigas ningún consejo que te den.

2. El grupo *"lo intenté pero fracasé"*

El segundo tipo de personas en la categoría de los tóxicos incluye a un montón de personas infelices que han intentado convertirse en idiotas ricos sin lograrlo. De aquí es de donde la mayoría de las personas obtiene su siguiente rebanada de consejos sobre riqueza. El grupo "lo intenté pero fracasé" a menudo contiene personas que tomaron malas decisiones en los bienes raíces o en la bolsa o que pusieron un negocio que tronó y acabó en la quiebra. Ahora se sienten calificados para darte toneladas de consejos sobre esos vehículos de inversión. En el minuto en que confías tus sueños de riqueza a esas personas, ellas se clavan y proceden a contarte sus historias de horror personales. *No las escuches*. De hecho, *aléjate* lo más rápido que puedas. La ley de la atracción (de la cual leerás a continuación) trabaja increíblemente bien. Si te mantienes cerca de los que experimentan fracasos financieros, tú también los tendrás. Una analogía puede ayudar a ilustrar de qué estoy hablando. A mi amigo Doug, que se ha divorciado cinco veces y ahora está con la esposa número seis, le encanta dar consejos sobre relaciones. Pero después de fracasar repetidas veces en aprender del fracaso, no me va a encontrar muy interesado en sus perlas de sabiduría.

3. El grupo de la "zona de confort"

El tercer grupo de tóxicos está compuesto de los amigos con los que sales porque te sientes cómodo en su compañía. Son las personas con quienes vas a partidos, bebes cerveza, organizas carnes asadas y trabajas. También podrían ser tus viejos compañeros de la escuela, tus primos preferidos, el tipo que te vendió el coche en una ganga o tus vecinos. Viven en el mismo tipo de casa que tú, compran en las mismas tiendas que tú, comen en los mismos restaurantes que tú, van a ver las mismas películas y ganan aproximadamente lo mismo que tú. Esto último, que ganen aproximadamente lo mismo que tú, puede acabar con tu meta de ser un idiota rico. De hecho, es la razón principal de mantenerte alejado de su consejo en cuestiones de dinero.

Para entender por qué, necesitarás realizar un breve examen, el cual te mostrará qué tan rico eres realmente en este

momento y qué tanto tus amigos de la "zona de confort" limi-
tan tu crecimiento financiero. Puede ser una llamada de alerta
importante para quienes quieran convertirse en idiotas ricos.

Comienza por realizar una encuesta a las cinco personas con
quienes pasas más tiempo. Trata de lograr que sean honestas
respecto de su ingreso y su red de riqueza, luego promedia esos
dos números. Me imagino que las cifras que obtengas estarán
cerca de tu propio ingreso y tu propia red de riqueza. ¿Qué te
indica esto? Las personas que nos rodean influyen en el nivel de
riqueza que alcanzamos. Así que cambia a la gente con quien te
rodeas y cambiarás tu perfil de riqueza. ¿Cómo? Escalar es una
guía para cambiar tu propia imagen de la riqueza. Esto, a su vez,
te ayudará a encontrar y a sentirte más cómodo con amigos más
ricos… un gran paso en tu escalera de idiota rico.

> ¡Recuerda!
> Sal con idiotas ricos y te harás rico.
> Sal con LCQ y seguirás siendo un LCQ.

4. Los ladrones de sueños

Somos producto de nuestro entorno. Tenemos que prestar atención a las influencias que giran a nuestro alrededor. Conforme
comiences tu viaje hacia la riqueza, ten cuidado de protegerte
de los ladrones de sueños, la gente negativa que hay en tu vida.
Yo los he descubierto entre mis amigos y familiares. El escritor
Gore Vidal dijo una vez: "Cada vez que un amigo tiene éxito,
algo muere en mí". Aléjate de este tipo de personas lo más pronto que puedas.

Probablemente tengas gente así en tu vida en este momento. En el instante en que intentas hacer algo diferente, iniciar
un nuevo negocio, invertir en una nueva acción, hacer algo que

mejore tu salud, ¿qué es lo que dicen estos aguafiestas? Nada positivo, eso es seguro. Más bien, obtienes muchas advertencias radicales sobre el inminente desastre.

Cuando invertí en bienes raíces por primera vez, muchos miembros de mi familia estuvieron rotundamente en contra. Pensaban que invertir era demasiado arriesgado. Pensaban que yo no tenía las habilidades necesarias. Pensaban que fracasaría y los avergonzaría. Pero yo descubrí la motivación real detrás de sus comentarios. Toda su negatividad no tenía nada que ver conmigo. Los ladrones de sueños en realidad estaban hablando sobre sí mismos.

Ten cuidado. Cuanto más exitoso te vuelvas, más tratarán de frenarte los ladrones de sueños. Puede que incluso pierdas buenos amigos y seres queridos en el proceso. Pero recuerda, ellos se encontrarán atrás por su propio miedo y fracaso, no por tu éxito.

Hay una historia maravillosa que cuenta Bruce Springsteen sobre cómo, a pesar de que ha grabado varios discos que se han vendido de maravilla y ha agotado las entradas de sus conciertos, su propia madre le sigue diciendo: "Bruce, nunca has terminado la universidad. Deberías regresar y obtener tu título. Puede que este asunto del rock no salga bien". Bruce quiere muchísimo a su mamá, pero ¿es *ella* la persona más adecuada para darle consejos sobre riqueza y éxito?

5. El grupo "auch, soy yo"

Este grupo exclusivo contiene un solo miembro: tú. La última persona tóxica de quien te tienes que cuidar eres tú. Si eres un LCQ que sigue pensando de manera convencional, que sigue repitiendo los mismos patrones que te han mantenido trabajando duro y sin salir de pobre, deja de lado tu forma de hacer las cosas. Deja a un lado este libro y vete a parar frente a un espejo. ¿Qué es lo que ves? ¿Ves una persona tóxica, tu propio peor enemigo, ese gemelo malo que siempre te está susurrando al oído que eres un fracaso? ¿O ves una porrista?

Pon de cabeza tu mentalidad de modo que puedas convertirte en un idiota rico.

Los Facilitadores

Hay cuatro grupos principales de O. P. en la categoría de los facilitadores.

1. *El grupo de* E. O. P.
Este grupo ofrecerá su experiencia, de ahí el término que empleo: Experiencia de Otras Personas. La mayoría de los mentores pertenece a esta categoría.

2. *El grupo de* I. O. P.
En este grupo se encuentran socios y expertos que compartirán contigo sus ideas, o, como a mí me gusta llamarlo, Ideas de Otras Personas.

3. *El grupo de* T. O. P.
Estas personas harán posible que uses tu preciado tiempo para hacer las cosas que sólo tú puedes hacer. Mientras tanto, todos dan su propio tiempo para asistirte en tus metas. Ésa es la belleza del apalancamiento. Deja que otras personas hagan lo que mejor saben hacer para que tú hagas lo que mejor sabes hacer.

4. *El grupo de* D. O. P.
Este grupo muy importante pondrá el dinero que necesitas para alcanzar tus metas.

Cada uno de esos grupos acelera tu progreso al proporcionar herramientas de riqueza que debes tener: experiencia, ideas, tiempo o dinero. ¿Por qué? Por las leyes de atracción e influencia.

Ahora, al esbozar el tipo de personas que te ayudarán y el tipo de personas que te estorbarán, no te estoy diciendo que consigas amigos diferentes o abandones a tu familia. Te estoy diciendo que tengas cuidado con la influencia que ejercen sobre ti. Si quieres ser un idiota rico, ganar más dinero y ser más feliz, tienes que estar rodeado de personas que ya sean idiotas ricos, ganen mucho dinero y sean felices con sus vidas.

> ¡Recuerda!
> La influencia de Otras Personas puede ser lodo en el combustible de tu cohete… o puede ser un acelerador.

El éxito depende no sólo de lo que haces, sino también de con quién lo haces… a quién conoces. No estoy hablando de favores ni de contactos. Estoy hablando de *influencia*. Si salgo con personas que beben cerveza de día y de noche, las probabilidades indican que yo también beberé cerveza de día y de noche. Si salgo con personas que beben agua y salen a correr todas las mañanas, las probabilidades indican que yo también beberé agua y saldré a correr. Así que hazte la siguiente pregunta difícil: "¿De quién me estoy rodeando y qué tanto me están frenando?"

Examinemos cada uno de los grupos de Facilitadores, ¡personas a quienes quieres tener en tu vida!

Mentores: EOP

Nunca he conocido a ningún idiota rico que no tuviera por lo menos un mentor EOP y muchos idiotas ricos (incluyéndome) tienen un montón de mentores que les prestan su experiencia. ¿Qué es un mentor EOP? Bueno, él o ella es parte de tu kit de construcción de riqueza EOP que se basa en la Experiencia de Otras Personas. Alguien describió alguna vez a un mentor como una persona cuya percepción puede prevenirte. Los mentores pueden asegurarse de que no estás volviendo a inventar la rueda. Pueden compartir lecciones personales que acortarán drásticamente tu propia curva de aprendizaje. Pueden reducir tu riesgo de fracasar e incrementar tus posibilidades de éxito. Pero la razón más importante para tener un mentor es ésta: son tu inspiración, son tu modelo a seguir. Después de todo, *ellos se han vuelto* exitosos, ¡así que tú también puedes!

¿Cómo puedes encontrar a tus propios mentores EOP? Al principio puede parecer difícil, pero busca a alguien que esté haciendo lo que tú quieres hacer. Busca personas que hayan logrado hacer dinero en el campo exacto que te interesa. Y cuando las encuentres, simplemente pídeles que compartan contigo información alrededor de una vez al mes. Invítalos a comer. Invítales un café. Diles que admiras sus logros y quieres imitarlos. Muéstrales que aspiras a convertirte en una persona rica y exitosa y que, una vez que logres alcanzar tus metas, te convertirás tú también en el mentor de alguien.

Descubrirás que a la mayoría de los idiotas ricos *les encanta* compartir ideas y ayudar a los demás. Así que no seas tímido. Sólo decídete y busca un mentor EOP o dos.

La historia real de Robert

Permíteme contarte la historia de cuando sintonicé por primera vez el poder de Otras Personas y conseguí algo de asesoría que cambiaría mi vida.

Yo no era otra cosa que un tipo más que trabajaba en una enorme corporación y ayudaba a otras personas a incrementar su dinero. Luego un día se abrió un nuevo mundo de posibilidades.

Mi jefe me envió a visitar posibles clientes de quienes se sabía tenían una "tonelada de dinero"; la meta era que contrataran nuestros servicios de planeación financiera. Cuando llegué a su oficina pensé que tenía mal la dirección. Me encontraba frente a una estructura desvencijada, más parecida a un trailer que a un edificio. Sólo veía un vehículo en el estacionamiento, una camioneta *pickup* abollada de un color azul sucio. De inmediato pensé: "Esto no puede ser correcto. O el plomero está aquí o esta gente está en la quiebra".

Sin embargo, sólo para asegurarme, entré. Lo que vi desde la puerta no se veía más prometedor. Había mucha basura tirada por todas partes, puertas rotas, una ventana deshecha y pedazos de madera sin forma. Y luego la puerta se abrió y entró un hombre. Yo no lo sabía en ese momento, pero él fue el primer idiota rico que he conocido y él se convertiría en el primer O. P. en ayudarme a convertirme en un idiota rico. Tenía aproximadamente setenta y cinco años, llevaba un overol raído salpicado de pintura y se veía como vagabundo. Me saludó calurosamente y me invitó a su "oficina". Miré a mi alrededor aún más impactado por lo que estaba viendo o, más bien, por lo que *no* estaba viendo. Había archivos polvorientos cubriendo cada centímetro. Una taza grande llena de lápices se encontraba en un escritorio de madera cerca de un teléfono negro pasado de moda. No había ninguna señal de tecnología, ni computadora, ni impresora, ni teléfono celular, nada que pareciera lo que mi jefe había descrito como una "cuenta lucrativa". Le pidió a su esposa que se sentara con nosotros, y ella tampoco se veía como la pareja de un cliente adinerado.

Sin embargo, mi entrenamiento como vendedor entró en acción; me acomodé mi corbata ejecutiva y, como no quería parecer rudo, comencé a hablarles sobre planeación financiera. No obstante, durante todo el tiempo que estuve hablando, estaba convencido de que alguien me había jugado una broma. Para mí, estaba claro por su forma de vestir y el estado de su camioneta y de su oficina que tenían poco dinero, a todas luces no el suficiente como para necesitar nuestros servicios de planeación financiera profesional.

Así que después de aproximadamente treinta minutos de hablar con ellos, les di las gracias por su tiempo y su atención y salí de la oficina. "Qué pérdida de tiempo", pensé mientras regresaba a mi coche y encendía el motor. Sin embargo, algo me dijo que no me fuera. Y así, confiando en mis instintos, apagué el motor, salí del coche y volví a tocar la puerta. El mismo hombre zarrapastroso abrió y dijo: "Robert, pensé que te habías ido".

"Iba a hacerlo", contesté, "pero olvidé hacerle una pregunta. Ustedes son personas muy agradables, pero ¿qué hacen aquí, qué hacen para ganarse la vida entre toda esta basura?"

> ¡Recuerda!
> Busca tu momento de idiota rico.

Por favor tómate unos segundos para regresar a tu silla, respira profundamente y piensa en un momento de tu vida en que todo haya cambiado, en que todo se haya puesto de cabeza, y, en consecuencia, tu vida nunca haya vuelto a ser la misma. Tal vez es cuando cambiaste de carrera, cuando te mudaste a otro estado o cuando cargaste en tus brazos a tu primer hijo por primera vez. Sea lo que sea, ahora lo ves y te das cuenta de que fue tu momento de definición, el instante exacto en que tu vida tomó una nueva dirección.

Eso es lo que me sucedió esa calurosa tarde en Nashville. Haber regresado al interior de esa pocilga de oficina me cambió la vida.

"Ven, hijo", dijo el hombre. "Yo no soy listo como tú. Ni siquiera me gradué de la preparatoria. Mi esposa y yo hicimos algo que la mayoría de las personas no hace. Trabajamos duro los primeros años. Ahora, déjame mostrarte algo." Luego abrió un viejo libro de contabilidad y, pasando el dedo por las hileras de cifras, me dio mi primera lección de idiota rico. Me mostró cómo hace veinte años él era un LCQ. Sin embargo, había una pequeña propiedad en su misma calle que estaba en juicio de ejecución hipotecaria. Así que él reunió hasta el último centavo que tenía, la compró, la arregló un poco y la vendió. En ese viejo libro me mostró cómo había ganado unos cuantos dólares con esa primera propiedad. Tomó esa pequeña inversión y compró otra casa, la arregló y la vendió por una pequeña ganancia. Lo hizo una y otra vez durante cinco largos años. Él y su esposa pintaban, pegaban y limpiaban. Cavaban y plantaban. Y en lugar de vender las casas por las que habían trabajado tanto, él empezó a rentarlas. Cuando el hombre dio la vuelta a la última página del libro, vi que él y su esposa tenían 120 propiedades. Y que las tenían "libre y totalmente", todas les daban ingresos por renta que ascendían a más de 1 millón de dólares al año.

Ésa es la parte del dinero. También pasaban seis meses al año de viaje, disfrutando. Ésa es la parte del tiempo. Esta pareja había creado la vida perfecta… tenían dinero y tenían tiempo. ¡Eran idiotas ricos!

¿Qué fue lo que hice? Cerré el libro y le pedí al hombre que me ayudara, que compartiera conmigo sus secretos. Y lo hizo. El resto, como dicen, es historia.

A partir de ese momento, pedí ayuda a otras personas. Sin excepción me la dieron y cada una me acercó más a mi vida perfecta y a poder cobrar mi propio cheque de riqueza. Hoy, mientras lees este libro, recuerda que tú tampoco estás solo. Déjame ser el primero en ayudarte.

Pero después, déjame mostrarte cómo encontrar a los otros. Porque una de las cosas más inteligentes que he aprendido es que nunca me podría volver rico yo solo... ¡y tú tampoco!

IOP: Grupo de huellas

Abundan excelentes oportunidades de hacerte rico. Las personas a veces me dicen: "Robert, quiero convertirme en un idiota rico, pero no tengo ni la menor idea de qué hacer. No tengo ninguna idea para poner un negocio ni invertir. No sé donde debía empezar." Mi respuesta es ésta: "No hay problema. Únete a un grupo de huellas y conéctate con IOP, las ideas de otras personas."

Tú no tienes que tener ideas propias para hacerte rico. Muchas otras personas han tenido ideas para crear riqueza y están más que dispuestas a compartirlas contigo. Son personas que te ayudarán a iniciar tu propio negocio. Son excelentes ideas de negocios listas para ponerse en práctica y en muchas de ellas el creador necesita un socio. Hay "negocios instantáneos" listos, con modelos demostrados y viables y sistemas de apoyo construidos. A menudo le digo a la gente: "En lugar de empezar de cero, lo cual es todo un desafío, busca otras personas que ya hayan hecho mucho del trabajo pesado y ve qué puedes hacer con ellas".

Sigue las huellas

Permíteme contarte sobre algunos errores que cometí antes de convertirme en un idiota rico. Me uní a una organización de ventas y pensaba: "Esto es pan comido. Me voy a hacer rico sin hacer nada". Bueno, no hice nada y nada sucedió. Luego pensé: "Puedo averiguar cómo hacer esto". Así que pasé casi un año trabajando mis propios sistemas. Todos en la compañía me advirtieron sobre tratar de desarrollar mi propio método para hacerme rico. Me dijeron una y otra vez que habían estado en el negocio durante diez, veinte y hasta treinta años, y que conocían la forma de hacerse rico. Pero yo estaba convencido de que podía encontrar una mejor forma. ¿El resultado? Un año entero de riqueza potencial desperdiciada sin dinero fluyendo a mi bolsillo.

Luego hice lo que un idiota rico habría hecho en primer lugar. Busqué a la persona más exitosa de la compañía y dije: "Dime exactamente qué hiciste para hacerte rico en este negocio y haré lo mismo." Me dio un guión de treinta líneas.

"Tienes que estar bromeando", le dije. "¿Esto es todo lo que tengo que hacer? Suena demasiado fácil."

Él contestó: "¿Quieres tener éxito o no?"

Por supuesto que quería. Así que escribí lo que me dijo que dijera a los prospectos de clientes y lo seguí al pie de la letra. ¡De repente, mi ingreso pasó de 10 dólares a la semana a 500, luego a 5000 dólares a la semana! ¿Y qué fue lo que aprendí? Aprendí a usar la idea de negocios de otra persona y a seguir sus huellas hacia la riqueza.

Desde entonces he descubierto que puedes usar las IOP de muchas maneras más. Por ejemplo, yo solía llevar mi propia contabilidad. Luego descubrí un excelente contador que no sólo se hizo cargo de mis cuentas (lo cual yo odiaba y para lo cual no era nada bueno), sino que al momento de pagar impuestos me ahorró miles de dólares. No sólo usé IOP (sus ideas para ahorrar impuestos) y su EOP (experiencia para llevar la contabilidad de empresarios de bienes raíces como yo), sino que añadió una importante cantidad de dinero a mi red de riqueza. ¡Él me hizo un idiota rico!

TOP: Los magos del tiempo

¿Cuál es el lujo más preciado que tienes? Si dijeras dinero, estarías en un error. Siempre puedes hacer más dinero. La respuesta correcta es, por supuesto, tiempo. No puedes hacer más tiempo. Así que cualquier cantidad de tiempo que ahorres será considerada un regalo preciado. Si aspiras a convertirte en un idiota rico, concéntrate en el tiempo que la riqueza puede comprar. Aprende a usar el TOP (Tiempo de Otras Personas).

La siguiente historia de la vida real enfatiza mi punto. Un hombre llamado Jeff vino a uno de mis seminarios de bienes raíces hace varios años. En esa época era vendedor de alimentos congelados y estaba ganando 43 000 dólares al año. Estaba casado y tenía tres hijos.

"Quiero invertir, Robert", me dijo, "no tanto por el dinero, sino porque quiero más tiempo para pasarlo con mi familia. En este momento, viajo mucho, estoy de viaje prácticamente cinco días a la semana y no veo a mi esposa ni a mis hijos lo suficiente. Si yo trabajara para mí, podría hacerlo desde casa y no perderme ningún momento familiar valioso."

Así que le enseñé a ese vendedor a invertir en bienes raíces. Aproximadamente en un año, había reemplazado su salario con el ingreso de las inversiones. Me caía bien y yo respetaba sus valores familiares. Se convirtió en mi amigo. En los siguientes años, su ingreso alcanzó los 300 000 dólares al año y ha seguido aumentando. Él y su familia estaban listos para vivir. Y entonces asestó la tragedia. Un día me llamó llorando.

"A mi esposa le acaban de diagnosticar cáncer en el hígado", dijo, sollozando. "Apenas tiene treinta y nueve años y le quedan cuatro semanas de vida." Y luego sucedió el milagro. Como este hombre era muy rico, pudo comprarle a su esposa medicamentos experimentales que costaban 25 000 dólares a la semana, por los cuales no iba a pagar la compañía de seguros. Con esos medicamentos, le compró otros valiosos tres meses adicionales. Con esos medicamentos, sus hijos tuvieron a su madre noventa días más. La riqueza de ese hombre le compró una cantidad adicional de tiempo. Y eso es lo que puede hacer el dinero. La pregunta para todos nosotros es "¿cuánto vale un fin de semana o noventa días con un ser querido?" La respuesta es que no tiene precio.

Cómo comprar el tiempo de otras personas

Piensa que la vida es una tienda de abarrotes. Quieres una ensalada, ¿eso significa que tienes que cultivar la lechuga, los jitomates y las cebollas tú mismo? ¿Hacer el aceite de oliva? ¿Embotellar el vinagre? ¿Tallar el platón de la ensalada? No, por supuesto que no. Vas a la tienda y compras lo que necesitas.

El mismo principio aplica cuando compras el tiempo de otras personas para una empresa de crecimiento de riqueza. Por supuesto, yo siempre trato de lograr que las ganancias dirijan los gastos.

Necesitas ventas. Contrata un vendedor.

Necesitas archivar. Contrata a alguien que se dedique a archivar.

Necesitas un folleto. Contrata a un escritor y a un artista gráfico.

Necesitas una página de Internet. Contrata a alguien dedicado a desarrollar páginas de Internet.

Necesitas pagar tus cuentas. Contrata un contador.

Necesitas tomar pedidos. Contrata a alguien que tome pedidos.

Necesitas hacer mandados. Contrata un asistente personal.

Necesitas que las tareas de tu hogar estén hechas. Contrata alguien que limpie.

Necesitas cenar. Pide comida para llevar.

Necesitas que cuiden a tu hijo. Contrata una niñera.

Necesitas ropa. Consigue a alguien que haga tus compras.

Ya tienes una idea. Piensa en las docenas de tareas para las que puedes usar el tiempo de otras personas mientras tú usas tu valioso tiempo para convertirte en idiota rico.

¿Todavía no estás convencido? Está bien, permíteme preguntarte lo siguiente: "¿Cuánto vale tu tiempo en este momento? ¿Ganas 10 dólares por hora? ¿O 20 dólares por hora? ¿O 100 dólares por hora?" Ahora intenta lo siguiente: si ganas 10 dólares por hora, busca a alguien que te ayude con una de tus tareas por 5 dólares la hora. El hijo de tu vecino, por ejemplo. ¿Adivina qué? Acabas de ahorrar 5 dólares por hora. ¡Ahora pon esos 5 dólares en tus inversiones y usa esa hora para ganar 100 dólares más!

DOP: ¡MUÉSTRAME EL DINERO!

Todo idiota rico sabe (en especial cuando está empezando) que para hacerte rico más rápido debes usar DOP (Dinero de Otras Personas). Todos lo hicimos. Toda persona adinerada que ves en los medios y que haya amasado su propia fortuna comenzó en la quiebra y usó el DOP para crear los cimientos de su fortuna.

La única advertencia aquí es que si piensas que es malo perder tu propio dinero, créeme, es peor perder el de alguien más.

Así que ten cuidado. Pero no te alejes de la oportunidad DOP. No seas un LCQ asustado, en extremo precavido.

Entonces, ¿puedes conseguir que otras personas te den su dinero cuando no tienes dinero propio? No hay problema.

Primero, necesitas una idea excelente para hacer dinero y tienes que estar realmente emocionado al respecto. Tienes que creer con cada fibra de tu ser que esa idea te hará increíblemente rico. ¿Entendiste? Muy bien.

Luego, tienes que escribir exactamente cómo te hará rico esa idea. Al escribirlo lo haces real. Ése es tu plan para monetizar tu idea. Escribe cuánto te costará empezar. Cuánto te costará crearlo para los primeros tres meses, seis meses, un año. Escribe cuánto dinero puede traer consigo tu idea y cuándo. Listo. Ahora estás listo para DOP.

Cómo conseguí 1 millón de dólares sin pedirlos
Pedir dinero a otras personas es algo muy estresante, así que prepárate para conseguir todo el financiamiento que necesitas *sin* pedirlo. No te rías. Yo lo hice, tú también puedes.

Esto fue lo que hice. Encontré un excelente trato para una inversión en una propiedad de bienes raíces grande. Hice las cuentas. Las revisé y las volví a revisar. Supe que iba a ser un éxito. Pero necesitaba un millón de dólares para hacer realidad mi plan. No tenía un millón de dólares en esa época, ni siquiera una cantidad cercana al millón. Así que llevé mi idea a algunos bancos y lo único que obtuve fue un amable no.

Necesitaba una estrategia diferente. Así que decidí visitar bancos y *no* pedir dinero. Decidí pedir consejos. Dejaría que mi idea hiciera el trabajo. Me puse mi atuendo de idiota rico y fui con el gerente del banco local.

—Señor banquero —dije—, sé lo ocupado que está, pero me preguntaba si podría regalarme unos minutos de su tiempo. No quiero dinero, pero me gustaría su consejo. —Créeme, mucha gente no puede resistirse a dar consejos.

—No hay problema —dijo—. ¿En qué lo puedo aconsejar?

Excelente, pensé. *La primera parte de mi plan funcionó. Tengo la atención del banquero.*

Luego le mostré mi plan en papel.

—Estoy empezando apenas, pero creo que he encontrado algo realmente rentable. ¿Podría ver estas cifras y decirme qué opina?

Mientras el banquero veía el papel, yo le dije que mi meta era crear viviendas que pudiera pagar la gente de bajo ingreso. Le mostré algunas fotografías de la propiedad como se veía en este momento y algunos bocetos de cómo se vería una vez que estuviera arreglada. Recuerda, yo sólo estaba pidiendo consejos, no dinero.

Él dejó el plan y se disculpó diciendo "ahora regreso".

Diez minutos después regresó con algunas personas más del banco que se presentaron como los jefes de préstamos comerciales, préstamos residenciales y banca privada. "Robert tiene un excelente plan de negocios aquí", dijo mi primer banquero (quien ahora es un buen amigo mío). "¿Cómo podemos financiarlo?"

Ése no es el final de la historia. Un lcq diría "¡yupi!" y firmaría cualquier papel que le ofrecieran esos banqueros sólo para cerrar el trato. Pero un idiota rico agradecería amablemente a los banqueros, enrollaría sus papeles, recogería sus bonitas fotografías y dibujos y diría: "Muchas gracias. Permítanme pensarlo unos días". Luego ese idiota rico cruzaría la calle e iría al banco rival. Pediría ver al gerente y diría lo siguiente: "Hola, señor banquero, necesito su consejo. El banco X que está cruzando la calle me acaba de ofrecer financiar mi trato de bienes raíces de un millón de dólares, pero no estoy seguro de aceptar. Me gustaría una segunda opinión". Eso fue exactamente lo que hice yo. No pasó mucho tiempo antes de que el banco 2 también me ofreciera financiarla y a una mejor tasa.

Esperen. Esta historia del millón de dólares aún no termina. Volví al primer banco. "Señor primer banquero, ahora realmente tengo un problema y necesito su ayuda", confesé. "El banco Y que está cruzando la calle se acaba de ofrecer a financiar este proyecto. Ésta es la oferta. ¿Me puedes decir qué debo hacer?" No fue difícil. El primer gerente no sólo igualó la oferta del segundo banquero, la mejoró. Obtuve el financiamiento. Y he estado con ese banco durante más de doce años.

¿Ves lo que pasa cuando pides DOP?

Sin embargo, esta historia no trata sólo sobre conseguir dinero. Es uno de mis mejores ejemplos del poder de poner de cabeza tu mentalidad. Cuando menciono esta historia en mis seminarios a menudo hay algunos LCQ muy enojados que me desafían. Aquí tienes una muestra de lo que dicen: "¿No debiste haber sido directo con el primer banco y sencillamente haber pedido un préstamo? ¿No debiste de haber aceptado el primer préstamo cuando te lo ofrecieron y no haber arriesgado la relación al acudir con el banco de competencia? ¿Por qué necesitabas una segunda oferta de préstamo? ¿No te dio miedo molestar a ambos bancos y terminar sin nada de dinero?"

Mi respuesta es simple: No seas un LCQ. Sé un idiota rico con mentalidad de cabeza. ¿Qué es lo peor que pudo haber sucedido? Pude haber quedado en la misma posición en la que empecé... buscando inversiones. ¿Qué sucedió? Encontré no uno sino dos grandes jugadores para financiar mi empresa y agregarlos a mi lista de O. P.

Deja de tener miedo. Deja de seguir las reglas que aún no te han hecho rico. Comienza a vivir en grande al expandir tu red de contactos, información y potencial. Sigue adelante. Arriésgate. Sé más intrépido de lo que crees ser. Sé un idiota rico.

Tu kit de DOP debería contener:

- Una excelente idea para hacer dinero
- Un plan escrito que has revisado una y otra vez
- Un atuendo de idiota rico para lucir exitoso
- Un guión cuidadosamente ensayado, de modo que no te saltes ningún punto pero suenes natural
- Una lista de fuentes para DOP

Los idiotas ricos son creativos. No confían simplemente en instituciones de préstamo o bancos para obtener su DOP y tú tampoco deberías hacerlo. Busca personas exitosas que conozcas: dueños de negocios, contadores profesionales y planeadores financieros, parientes y amigos. Si estás comprando una propiedad o un negocio, el (los) dueño(s) actual(es) pueden ayudarte a financiar la compra. Piensa fuera del "patrón del banco" y encontrarás muchas fuentes de DOP esperándote.

EL EQUIPO DE TUS SUEÑOS

El equipo de tus sueños es la tercera forma de usar el poder de O. P. para ayudarte a convertirte en idiota rico. La primera pregunta que la mayoría de los LCQ me hacen es: "Robert, ¿por qué necesito un equipo? Puedo hacer muchas cosas yo solo, en especial al principio".

Error. Es *especialmente* al inicio cuando necesitas un equipo de ensueño. Tu viaje hacia la riqueza comienza cuando eres más inexperto y vulnerable. Tu riesgo de fracasar al inicio es grande. Tu equipo de ensueño te puede proteger y ayudar a superar los obstáculos de obtención de riqueza que pueden surgir.

Patrick Seitz escribió un artículo interesante en *Investor's Business Daily* (*Diario de negocios de los inversionistas*) para mostrar lo que un nuevo inversionista puede lograr con ayuda de expertos. Permíteme compartir contigo algunas líneas:

"Un equipo exitoso requiere del equilibrio adecuado de diversidad y cohesión", dice Brian Uzzi, profesor asociado de administración y organizaciones en la Facultad Kellog de Administración de la Universidad Northwestern. "La diversidad se refleja en nuevas colaboraciones mientras que la cohesión viene de colaboraciones repetidas", dice.

Las reglas de Robert para crear tu equipo de ensueño

1. Usa contactos

Recuerda, dije que debes encontrar un mentor o pedir a otro idiota rico su ayuda y su consejo. Los demás idiotas ricos pueden ser extremadamente útiles. Ya han ubicado al mejor abogado, al mejor contador, a la mejor persona para manejar impuestos, a las mejores fuentes prácticamente para todo lo que llegues a necesitar para construir tu riqueza. Pide y usa sus contactos.

2. No seas tacaño

Ésta la aprendí de la manera difícil. Sé que apenas estás empezando y quieres ahorrar dinero. Pero descompensar a los miembros de tu equipo de ensueño *no* es la mejor manera. Te están ahorrando dinero. Te están dando a ganar dinero. Te están protegiendo. Ésta no es un área donde deberías estar buscando ofertas.

3. Asegúrate de que tus consejeros sean expertos

Aunque sean recomendados tienes que hacer tu tarea. Si quieres un abogado que pueda ayudar a tu negocio, asegúrate de que tenga otros clientes con negocios; lo mismo si quieres un abogado que te ayude con tus bienes raíces. Aplica esta misma prueba de "¿es usted experto en este campo?" para el resto de los miembros de tu equipo. No le pagas a la gente para que aprenda, le pagas para que actúe.

4. Usa una asociación

Business Network Internacional (BNI) es la organización de contactos más grande del mundo y unirte puede resultar en grandes mentores, excelentes alianzas estratégicas y estar más cerca de convertirte en un idiota rico.

Entonces, ¿qué he estado diciendo en este capítulo? Sí, vale la pena repetirlo. Al poner de cabeza tu mentalidad de "puedo hacer todo esto yo mismo" y al unir fuerzas con gente asombrosa, puedes usar su experiencia, ideas, tiempo y dinero para convertirte en un idiota rico más rápido y más listo.

Y AHORA, DAMAS Y CABALLEROS...

Abraham Lincoln dijo una vez: "Puede que las cosas lleguen a los que esperan, pero sólo serán las cosas que dejaron los que se dieron prisa". ¿Así que qué estás esperando? Sigue leyendo y pon en marcha el siguiente plan de acción.

TU PLAN DE ACCIÓN PARA PONER TODO DE CABEZA
DEL IDIOTA RICO

Empezando ahora mismo, sigue este plan para crear la verdadera riqueza que deseas.

1. Haz una lista O. P. de idiota rico. En una hoja de papel, haz una lista de todas las personas que conoces que podrían ofrecerte:
    a) su experiencia
    b) sus ideas
    c) su tiempo
    d) su dinero
2. Escribe los tipos específicos de personas que quieres que conformen tu propio equipo de ensueño (por ejemplo, abogado, contador) y enlista los lugares donde puedes encontrarlos.
3. ¿Necesitas ayuda? Asiste a www.GetRichWithRobert.com para encontrar listas que te puedan ayudar, prestándote fuentes, servicios profesionales y más.

TERCERA PARTE

Fuera

Todo es cuestión de tus activos

Hacerte rico es como jugar Monopolio… la persona que
pueda acumular la mayor cantidad de activos gana el juego.

NOEL WHITTAKER

DIRECTO AL GRANO

Sólo necesitas una cosa para ser un idiota rico. Si la tienes, eres
un idiota rico, si no eres un LCQ. ¿Adivinas de qué se trata?

- Un condominio de lujo en South Beach junto a Robert y a
  sus amigos
- Un auto último modelo que los encargados del *valet parking*
  siempre estacionan frente a la puerta del restaurante
- Tanta ropa de diseñador que tienes que convertir dos cuartos en un clóset
- Una limusina privada con chofer para que te lleve por ahí
  cuando no tengas ganas de manejar
- Tu propia mesa en el mejor restaurante de la ciudad cuando
  tengas ganas de comer algo

- Un decorador que elija todo, desde tu sofá hasta tu cómoda

Si elegiste siquiera uno de los puntos anteriores, por tentadores que sean, estás en territorio LCQ. No sigas. No reúnas *nada* de dinero. ¿Por qué? Porque ninguno de los puntos anteriores está siquiera remotamente cerca de lo que hace ser ricos a los idiotas ricos y eso es los activos.

Ponme atención. Éste es uno de los secretos más importantes que aprenderás sobre la riqueza y sobre cómo se crea.

De cabeza y con tus activos

Probablemente estés pensando que vas a hacerte rico cuando comiences a ganar más dinero. Y para ti eso significa obtener un aumento, conseguir otro trabajo, ganarte la lotería. Entiéndelo: todas esas cosas pueden hacerte rico, pero no te harán un idiota rico. ¿Por qué? Porque los idiotas ricos no ganan dinero trabajando en un empleo, dependiendo de un aumento, trabajando dos turnos, ni siquiera ganándose la lotería. Los idiotas ricos se hacen ricos sólo de una forma: renuncian a su empleo. Renuncian a su segundo empleo. Rompen el billete de lotería y salen a comprar activos… y muchos idiotas ricos ni siquiera usan un solo centavo de su propio dinero para hacerlo. ¿Entendiste? No necesitas un empleo. No necesitas un golpe de suerte. Ni siquiera necesitas dinero para iniciar tu plan de adquisición de activos de idiota rico. Probablemente estés pensando en este momento que necesitas mucho dinero para empezar a invertir. Error. ¡La mayoría de los inversionistas multimillonarios comenzó con menos de 1 000 dólares! Sigue leyendo. ¡Te mostraré cómo puedes empezar con tan poco como 100 dólares o, mejor aún, sin un solo centavo propio!

¿Qué es un activo?

La regla de Robert para determinar lo que es y lo que no es un activo es fácil: un activo es cualquier cosa que te da dinero. Y tener por lo menos uno es la única forma real de convertirte en un idiota rico realmente feliz, exitoso. ¿Una definición demasiado simple para ti? Aquí tienes una tomada del diccionario; es formal pero básicamente dice lo mismo "recurso con valor económico que un individuo, corporación o país posee o controla con la expectativa de que proporcione una ganancia futura".

¿Recuerdas cuando estabas en el laboratorio de ciencias en la preparatoria y tenías que diseccionar alguna criatura y ver sus partes con un microscopio? Hagamos lo mismo con lo que se denomina activo.

Primero deberías saber que todos esos activos verdaderos comparten estas tres características:

1. Tienen valor.
2. Tú los tienes o controlas.
3. Te proporcionan un beneficio futuro (léase dinero).

Los idiotas ricos verifican estos puntos esenciales antes de comprar algo. Y cuando los idiotas ricos compran, compran primero activos. Esto los hace ser más exitosos y más saludables que los LCQ, quienes compran pasivos, o el hermano gemelo malo de los activos.

¿Qué es un pasivo?

De acuerdo con un diccionario en línea (Dictionary.com para la versión en inglés), los pasivos son "dinero que se debe, deudas u obligaciones pecuniarias". Ése es el punto. Pero me gusta más la siguiente definición (tomada de Answers.com para la versión en inglés): "Un pasivo es algo de lo que uno es responsable, es una obligación, responsabilidad o deuda y algo que nos frena, es una discapacidad".

EL HERMANO GEMELO BUENO (ACTIVO) *VERSUS* EL HERMANO GEMELO MALO (PASIVO)

Es verdad que tanto los activos como los pasivos tienen valor. En ese aspecto, son iguales. También es cierto que tú posees o controlas los activos y como eres responsable de tus pasivos, también se trata de un tipo de posesión, aunque yo agregaría que más a menudo parece que los pasivos te poseen *a ti.*

Ahora veamos el futuro. Los activos te dan beneficios a futuro, como dinero en la forma de ingreso o efectivo. Los pasivos, por otro lado, te quitan dinero, te "frenan", son una "discapacidad".

> ¡Recuerda!
> Compra activos primero porque te *dan* dinero.
> Compra pasivos después porque te *cuestan* dinero.

Regresemos algunas páginas a la lista de lujos y juguetes; repásala. Ahora que tienes una definición sólida de activo, serás capaz muy rápido de ver por qué ésos definitivamente *no* son activos.

• *Un condominio de lujo en South Beach junto a Robert y a sus amigos*
Si eres dueño de un condominio, o tienes uno con opción a compra, entonces se podría convertir en un activo. Los bienes

raíces son uno de los mayores activos que a los idiotas ricos les encanta adquirir. Pero mientras seas inquilino, ese activo es un pasivo para ti, no para el dueño. Cada mes gastas dinero en renta, lo único que obtienes es una bonita vista y una dirección que impresionará a tus amigos. Lo que es más, cuando te mudes, no podrás convertir el condominio en dinero. Así que no cabe duda de que se trata de un pasivo y no de un activo. Por cierto, Robert y sus amigos que viven en South Beach son dueños de sus condominios, o por lo menos tienen opción a compra, lo cual convierte sus departamentos en activos. ¿Entiendes la diferencia?

- *Un auto último modelo que los encargados del* valet parking *siempre estacionan frente a la puerta del restaurante*

Si gastaste 80 000 u 85 000 dólares por ese auto nuevo y realmente hermoso y lo sacaste de la agencia, probablemente perdiste alrededor de 25 000 dólares. Eso convierte a ese auto del que estás tan orgulloso en un gran pasivo y decididamente no en un activo. Regresa a la definición. Asegúrate de que el auto tenga valor. Por supuesto, tú eres el dueño, o por lo menos lo controlas (tal vez junto con tu pareja, el banco o la compañía financiera), pero sin importar lo bello que sea, esas ruedas no te traerán dinero en el futuro. Los autos no son activos. Una rara excepción sería si hubieras comprado un automóvil clásico y lo hubieras tenido por un tiempo y luego lo hubieras vendido por más dinero del que pagaste por él. Entonces ese auto habría sido un activo. ¿Ves la diferencia?

- *Tanta ropa de diseñador que tienes que convertir dos cuartos en un clóset*

La ropa no tiene valor. Te hace ver bien y sentirte bien y si es obra de ciertos diseñadores confieren estatus. Así que en ese sentido es un activo. En tu clóset o en tu cuerpo no cabe duda de que la posees o por lo menos la controlas… otro indicador de un activo. Pero he aquí el truco: La ropa pierde su valor en cuanto le quitas las etiquetas. Y eso la convierte en un pasivo. De nuevo, puede haber una excepción y es la siguiente: Si compraste un sombrero rosa diseñado por Halston de Jacqueline Kennedy tendrías un activo, porque habría aumentado de precio. ¿Por qué? Porque el sombrero ya no es sólo un sombrero, es un objeto de colección, los cuales, como el arte, las antigüedades, la ropa típica y las monedas son muy buenos activos.

* *Una limusina privada con chofer para que te lleve por ahí cuando no tengas ganas de manejar*

La limusina no es un activo porque es algo que tienes que pagar. Es dinero que sale de tu bolsillo sin esperanza de recuperarlo. Lo mismo para el chofer.

* *Tu propia mesa en el mejor restaurante de la ciudad cuando tengas ganas de comer algo*

Esto es uno de los máximos símbolos de estatus. Tal vez es la mesa redonda junto a la ventana en Michael's, un restaurante de moda en Nueva York, o un lugar en la mesa de Tony Soprano en el Badda Bing. Las caravanas y gestos para saludar a un cliente frecuente son excelentes para el ego, pero no son activo. Tener el mejor asiento de la casa te costará y eso es un pasivo.

* *Un decorador que elija todo, desde tu sofá hasta tu cómoda*

La mejor decoración es excelente, pero cuando aparezca en escena el siguiente decorador "en boga" todos esos bellos muebles (desde sofás hasta cómodas y desde tapices hasta divanes) se convertirán en cosas de segunda mano, con las cuales ganarás mucho menos en el mercado de consignación de lo que pagaste cuando las compraste. Parece genial, pero no hay activos ahí, salvo si tus muebles son antigüedades. En cuyo caso estamos de regreso con los objetos de colección.

LCQ E IDIOTAS RICOS: ¿QUIÉN COMPRA QUÉ?

Los LCQ tienden a adquirir pasivos (consumibles), lo cual es una forma segura de identificar a un LCQ, mientras que los idiotas ricos adquieren activos, lo cual es lo que los hace ricos en primer lugar.

Míralo más de cerca. ¿Dónde encajas tú? ¿Posees esos activos como efectivo en cuentas de ahorro, bonos o fondos de inversión? ¿Qué hay de los bienes raíces? ¿O de un portafolio de acciones? Ojalá no estés gastando todo tu dinero en autos elegantes, ropa y muebles, ni lo estés gastando constantemente en restaurantes cinco estrellas y en vacaciones de lujo.

LCQ	Idiotas ricos
Autos	Efectivo
Ropa	Bienes raíces
Viajes	Negocios

LOS DOS ACTIVOS MÁS SECRETOS DE LOS IDIOTAS RICOS

Hay dos activos más que son muy importantes para los idiotas ricos y son igual de importantes para aumentar la riqueza como el efectivo, los bienes raíces, los portafolios de inversión o el tener negocios. El primero eres "tú", el segundo es "tu tiempo".

Éste es un momento muy importante para poner de cabeza lo que piensas. *Tú* eres tu activo más importante. Tu tiempo es tu siguiente activo más importante. ¿Cómo estás tratando esos dos activos?

TU TIEMPO Y TU DINERO

La mayoría de las personas cambia sus horas por dinero. Tú tienes un empleo en el que inviertes ocho, diez o hasta once horas. ¿Qué obtienes? Dinero. ¿Qué has hecho? Acabas de cambiar tiempo por dinero. Y es muy difícil hacerte rico de esa manera. Básicamente te estás convirtiendo en un pasivo cuando lo haces. ¿Por qué?

Porque sólo cuentas con una cantidad limitada de tiempo que puedes cambiar por dinero. En algún momento se te va a acabar. Tal vez ya has llegado a ese momento. No te queda tiempo y tu pila de dinero no está creciendo como crecería un activo. Más bien, está disminuyendo como disminuye un pasivo.

Ésa es la parte del tiempo. Ahora hablemos de la parte de "ti".

Una vez durante un seminario me alteré mucho. Pregunté al público, alrededor de 25 000 personas: "¿Cuántos de ustedes que tienen trabajo no pueden esperar para que llegue el lunes por la mañana?" Hasta ese momento yo había estado bromeando con el grupo y todos comenzaron a reírse a todo pulmón. Luego vi el resultado de mi pregunta. Estaba impactado. Sólo tres personas levantaron la mano. ¿Te imaginas, dado el tamaño del público, obtener sólo tres respuestas positivas? Todo estaba en silencio. Sonaba como una biblioteca o como la morgue. Ya nadie estaba sonriendo. El estado de ánimo había cambiado.

Aproximadamente 24 997 personas se estaban cambiando (su activo más valioso de idiota rico) por un empleo que no les gustaba y por un tiempo que resentían entregar. He aquí la ironía: esas tres personas no habían escuchado correctamente la pregunta. Yo había preguntado: "¿Cuántos de ustedes que tienen trabajo...?" Los tres trabajaban para sí mismos.

Uno de ellos trabajaba con acciones y había conformado un portafolio de buen tamaño con el paso de los años. El segundo había estado comprando y vendiendo bienes raíces de medio tiempo durante los últimos cuatro años y ahora sus casas le estaban dando suficiente dinero como para haber renunciado a su trabajo y dedicarse a ello de tiempo completo. La tercera persona estaba en un excelente momento profesional pues era dueña de un negocio en línea y le encantaba cada instante de él. ¿Qué tenían los tres en común? Tenían activos, ya fuera acciones, bienes raíces o un negocio. Cambiaban su tiempo por activos. Como dice Brian Tracy, uno de los mejores motivadores de Estados Unidos: "Tu mayor activo es tu habilidad para ganar dinero. Tu mayor recurso es tu tiempo".

> ¡Recuerda!
> Tú eres tu activo más importante.
> Tu tiempo es tu segundo activo más importante.

EL HOMBRE QUE GANABA 15 000 DÓLARES CADA VEZ QUE IBA AL BAÑO

Comencé a entender realmente el poder de los activos gracias a un amigo mío que era un muy joven abogado en un gran bufete en el sur compuesto por 160 abogados aproximadamente. Él me contó la historia de su jefe, el fundador de la compañía.

Pero antes de compartir la historia, permíteme explicarte algo sobre cómo hacen dinero los abogados. Los abogados venden su tiempo. Facturan incrementos de horas de trabajo realizado para sus clientes, entre 200 y más de 600 dólares por hora, dependiendo de las habilidades y el puesto del abogado. La facturación por tiempo telefónico se hace en incrementos de minutos. Puedes imaginar lo rápido que se acumulan esos honorarios.

Ahora, esos abogados que trabajan para la compañía de mi amigo estaban ganando buen dinero, bastante más de 100 000 dólares al año. Pero seguían siendo LCQ.

Sin embargo, su jefe no. No había duda de que este hombre era el mayor idiota rico. Ésta es la razón.

"Robert, no me lo vas a creer", me contó mi amigo, quien había hecho cuentas y me estaba compartiendo unos resultados asombrosos. "Mientras que los abogados más importantes de mi firma están ganando aproximadamente 200 000 a 300 000 dólares al año, mi jefe, el fundador del bufete, está ganando aproximadamente 90 000 dólares por hora, ¡15 000 dólares cada diez minutos! ¡Calculo que cuando va al baño gana alrededor de 17 000 dólares sólo por lavarse las manos y peinarse!"

¿Cómo era eso posible?

Fácil. Este hombre siguió el secreto de los idiotas ricos para adquirir activos. El fundador de ese bufete de abogados tenía un activo, de hecho tenía 160 activos, todos ellos abogados. Los abogados que trabajaban para él, sin importar lo grandes que fueran sus sueldos, eran LCQ: vendían su tiempo por dinero.

Por otro lado, el fundador tomaba un porcentaje del dinero que ganaba cada uno de los abogados. Hiciera lo que hiciera, ya fuera desayunar, viajar o lavarse las manos cada vez que iba al baño, mientras cada uno de sus 160 abogados estaba trabajando, ese hombre ganaba dinero. Sus activos le estaban proporcionando beneficios.

Me puse a estudiar a ese hombre. Y descubrí algo más sobre él. Cada vez que acumulaba mucho dinero, lo usaba para comprar aún más activos. Compró bienes raíces, centros comerciales, acciones y bonos, otros negocios, incluso caballos de carreras. De ese modo seguía produciendo más y más riqueza. No era de sorprender que fuera uno de los hombres más ricos del sur, una especie de idiota rico ultra súper grande.

Pero esta historia particular no termina aquí. Yo solía verlo manejar por la ciudad. ¿Quieres saber que coche tenía? Era un coche de diez años de antigüedad. Su ropa era sencilla. No salía mucho. Era un hombre muy humilde. Tenía algunos grados bastante impresionantes: una maestría en psicología, un doctorado en teología y otro en derecho (a pesar de padecer dislexia como yo), pero cuando le presentaban a alguien siempre decía: "Yo no soy más que un simple abogado de Mississippi que trata de ganarse la vida. Si alguna vez puedo hacer algo personal o profesionalmente por usted, no dude en llamar".

¿DÓNDE APRENDEN LOS IDIOTAS RICOS A CONVERTIRSE EN IDIOTAS RICOS?

La mayoría, no en la escuela. Yo creo mucho en la educación. Apoyo dos escuelas para niños que son justo como era yo, un idiota en la escuela. La educación es excelente. Pero la verdad es que la mayoría de los idiotas ricos no aprende sobre activos, pasivos y los demás secretos de crear riqueza en un salón de clases. Y estoy hablando de mi experiencia personal.

Después de mis primeras aventuras en la preparatoria, me enderecé y me convertí en un LCQ. Bien. Saqué adelante mis calificaciones. Seguí las reglas. Hice una solicitud para entrar a la universidad. Entré y me gradué. Tengo una maestría en administración y un título de derecho.

Ésta es la parte divertida. Si tomas los cuatro años que pasé en la universidad y sumas otros cuatro del postgrado, más libros, transporte y costos de vivienda, se gastó aproximadamente 250 000 dólares en mi educación. ¿Qué me había enseñado esa inversión? No me enseñó cómo crear riqueza, sino cómo conseguir un empleo. Y eso fue lo que hice. En específico, mi primer empleo al terminar la escuela me pagó menos de 50 000 dólares. Cambié una inversión de 250 000 dólares por una ganancia de menos de 50 000.

Ésas son reglas LCQ. Éstas son matemáticas LCQ.

Un idiota rico habría seguido la regla número 72 del idiota rico. Yo podría haber tomado esos 250 000 dólares y haberlos puesto en algún vehículo con intereses, calculando su tasa de crecimiento tomando la cantidad de intereses, digamos 10 por ciento, y dividiéndolo entre 72. Una tasa de 10 por ciento significaría que mi pila de dinero sería el doble en 7.2 años. Conclusión: de haber respetado el poder del interés compuesto y de haber seguido el enfoque de los idiotas ricos, tal vez hubiera tenido 500 000 dólares siete años después del postgrado. En cambio estaba varado con dos títulos, una deuda por educación de 250 000 dólares y un trabajo que me mantendría como un LCQ hasta que la luz brillara al final del túnel.

No me malentiendas. Yo creo firmemente en la educación. Simplemente creo que la gente necesita educarse respecto de cómo generar y aumentar el dinero.

La magia del interés compuesto

Fecha de inicio	Cantidad inicial	Invertido al 10%
Año 1	20 000 dólares	20 000 dólares
Año 2		24 200 dólares
Año 3		26 620 dólares
Año 4		29 282 dólares
Año 5		32 210 dólares
Año 6		35 431 dólares

MI TÍO MORRIS

Mi tío Morris fue uno de los hombres más ricos de mi familia. Y por muchísimo tiempo, cuando yo era LCQ, no entendía bien qué hacía para ganarse la vida. En primer lugar, siempre estaba en su casa. Cuando no estaba en su casa en California, estaba viajando por el mundo, o jugando con todos los niños y primos. De hecho, de adolescente recuerdo haber pensado que mi tío tenía una gran vida: "No hace nada y tiene un montón de dinero y de tiempo." Cuando crecí y me volví más experimentado, descubrí que el tío Morris era uno de los primeros idiotas ricos en nuestra familia.

Él llegó de Argentina a Estados Unidos cuando tenía aproximadamente trece o catorce años. Su inglés era tan malo que no podía conseguir un buen trabajo, así que trabajaba en restaurantes como lavaplatos. No tardó mucho en darse cuenta de que no le gustaba lavar trastes. Así que pidió algo de dinero prestado a familiares y amigos y abrió un pequeño restaurante. Trabajó mucho. El restaurante tuvo éxito. Lo vendió y compró otro.

Luego comenzó a comprar propiedades para personas de bajo ingreso en California.

Rápidamente descubrió que las personas que se mudaban a sus propiedades necesitaban muebles, así que invirtió en tiendas de muebles para personas de bajo ingreso.

El tío Morris nunca fue a la escuela. Nunca tuvo un entrenamiento formal sobre cómo hacer dinero. Pero sus instintos fueron buenos e invirtió en activos aun cuando tenía que pedir dinero prestado para adquirirlos. Con el paso del tiempo todos esos activos siguen generándole ingresos mientras aumentan de valor.

Recuerdo que siempre estaba relajado y sonriente. Mantenía a muchos miembros de la familia y siempre fue generoso. Hay una ironía en particular que siempre me hace sonreír. Aunque era un enorme inversionista en bienes raíces y tenía una gran cantidad de propiedades, nunca pudo pasar el examen de agente de bienes raíces. El tío Morris se convirtió en uno de mis modelos de idiota rico.

¡Recuerda!
La educación no garantiza la riqueza.

LCQ E IDIOTAS RICOS: ¿QUIÉN COMPRA QUÉ? UNA LISTA ENMENDADA

Aquí está la lista otra vez. Ahora está completa con la adición de "tú" y "tu tiempo". Ahora realiza tus propias comparaciones. ¿Qué lista se parece más a tus adquisiciones?

LCQ	*Idiotas ricos*
Autos	Efectivo
Muebles	Bienes raíces
Ropa	Negocios
Viajes	Tú
	Tu tiempo

COMIENZA A COMPRAR ACTIVOS

Está bien, es momento de que compres tus primeros activos. ¿Qué es eso? Creo que estoy oyendo todas esas excusas: "Robert, tengo miedo. No tengo tiempo. Estoy en la quiebra". Detente en este mismo momento.

- *Puedes* comprar tus primeras acciones, con una cantidad tan baja como 10 dólares. Invertir en acciones en línea te permite invertir una cantidad tan baja como 10 dólares de cuota fija para abrir tu cuenta y realizar compras y ventas de acciones. Hay muchos fondos de inversión que te permiten invertir desde 100 dólares. (Consulta www.GetRichWithRobert.com para consultar una lista de esas compañías).

- *Puedes* comprar tu primera propiedad de bienes raíces sin usar tu propio dinero. Muchos inversionistas en bienes raíces iniciaron fortunas en el mundo de los bienes raíces sin un solo centavo de su propio dinero; de hecho muchos ni siquiera tenían la capacidad de pedir dinero prestado porque su crédito era pobre o inexistente. Hay muchas formas de sobreponer esta falta de capital inicial. Dos de las estrategias más populares y exitosas son: a) buscar un socio que te preste el dinero o bien te permita usar su crédito; o b) buscar un vendedor motivado que esté dispuesto a permitirte adquirir el título de propiedad de un inmueble sin dar ingreso y en términos favorables. Esos tratos y acuerdos abundan en el mercado de bienes raíces de todo Estados Unidos.

- *Puedes* empezar un negocio sin dinero propio. Hay muchas oportunidades de franquicias donde el dueño de la franquicia financia a los que están empezando el negocio; asociarte con amigos que también quieren convertirse en idiotas ricos puede proporcionar algunos fondos iniciales; sencillamente puedes comenzar a vender productos en Internet por el costo de una conexión de alta velocidad y una página *web*; puedes unirte a una compañía de ventas directas o en multinivel y comenzar a vender productos y a afiliar miembros para recibir una ganancia y un ingreso pasivo.

Puedes terminar con un activo de efectivo muy sano al invertir una cantidad tan baja como un dólar o 250 dólares a la semana. Simplemente echa un vistazo a las siguientes dos tablas de interés compuesto y compruébalo por ti mismo.

Inversión de 1 dólar al día

Año	Intereses ganados al 10% (cantidades en dólares)
1	402
5	2 282
10	5 903
15	11 736
20	21 129
25	36 256
30	60 619
60	1 117 811

Inversión de 250 dólares a la semana (13 000 al año)

Año	Intereses ganados al 10% (cantidades en dólares)
1	13 200
5	75 018
10	194 097
15	385 827
20	694 639
25	1 191 984
30	1 992 964
60	36 749 959

Puedes encontrar éstas y otras ideas y estrategias en mi página de Internet www.GetRichWithRobert.com. ¿Ya terminaste? Ya no hay nada de que quejarse ni lamentarse. Así que vamos a empezar.

Estoy a punto de iniciarte en la estrategia de adquisición de activos del idiota de Robert. Compartiré contigo todas las formas que aprendí para adquirir activos: acciones y bonos, bienes raíces y negocios. Cada activo que he adquirido me acercó más al estatus de idiota rico y en el minuto en que empieces a adquirir, tú también estarás en camino de serlo.

ROBERT Y EL RESTAURANTE WENDY'S

Cuando tenía trece años, como todos los chicos judíos, tuve un *bar mitzvah*. Como era costumbre, familiares y amigos llevaron dinero a la celebración de mi nuevo estatus de hombre. Mi padre y yo contamos el dinero que me habían regalado. Tenía un gran total de 1 200 dólares.

—De acuerdo con nuestras tradiciones, Robert —dijo mi padre—, ahora eres un hombre y debes comenzar a tomar tus propias decisiones. Tienes que decidir qué vas a hacer con este dinero.

Yo era un hombre, pero no dejaba de tener trece años.

—Quiero una bicicleta nueva —anuncié. No podía esperar para comprar un pasivo.

—Tienes que invertirlo —dijo mi padre, señalando mi primer activo y mi primer paso en el camino hacia la riqueza del idiota rico.

—¿Invertir en qué? —respondí, tratando de pensar cómo convertir una bicicleta nueva en una inversión que mi padre aprobara.

—Compra algunas acciones —fue su respuesta.

—Yo no sé nada de acciones —la bicicleta estaba desapareciendo rápidamente.

—Las acciones son partecitas de empresas que tú compras y de las que eres dueño. Elige una empresa y compra acciones.

—Me gustan las hamburguesas —dije, pensando que si no podía obtener la bicicleta, por lo menos podía obtener excelentes hamburguesas—. Me gustan las hamburguesas de Wendy's.

Para mi sorpresa, mi padre me tomó en serio. Llamó a un corredor de bolsa y obtuvo toda la información necesaria sobre Wendy's. La leímos juntos. Él me explicó qué era lo que debía buscar en una empresa. Me decía que Wendy's no tenía muchas deudas en sus registros en ese momento. Señaló que la compañía estaba creciendo. Lo único que yo sabía era que el lugar servía excelentes hamburguesas. Así que le llevé mis 1 200 dólares al corredor de bolsa y compré algunas acciones de Wendy's. En dos años el dinero se había cuadruplicado ¡y no se debía a todas las hamburguesas que yo compraba!

Como quiera que sea, así fue como comencé a adquirir acciones como una parte importante de mi portafolio de inversión.

¿Y qué hay de ti? ¿Hay alguna empresa en particular cuyos productos o servicios uses a menudo? ¿Hay una industria particular en la que estés interesado? ¿Tus hijos juegan con juguetes o con juegos cuya popularidad está aumentando? ¿Tus padres y sus amigos compran productos para la salud o para su estilo de vida de algunas empresas en especial? Todas ésas pueden ser pistas para la adquisición de tus primeras acciones.

ROBERT Y LOS BIENES RAÍCES

Ya sabes cómo empecé a coleccionar otro activo importante para mi portafolio: los bienes raíces. Te conté la historia de un anciano y su esposa en una oficina desvencijada que tenían más de cien propiedades libres y claras, que tenían un ingreso de más de un millón de dólares, que se tomaban seis meses al año para viajar y se divertían mientras sus activos trabajaban para proporcionarles una verdadera vida de idiotas ricos.

Ya sabes cómo seguí a ese hombre durante un año, aprendiendo todo lo posible sobre comprar, vender y administrar propiedades hasta que finalmente reuní el valor para comprar mi propia propiedad.

Ahora permíteme contarte algo que tal vez *no* sepas. Comencé a comprar muchos activos de bienes raíces y me volví muy bueno en ello. Tan bueno, de hecho, que pude retirarme a la temprana edad de treinta años. El ingreso por rentas de mis propiedades cubría todos mis gastos y me proporcionaba una buena vida, permitiéndome comprar más propiedades... más activos.

Básicamente pasaba todo mi tiempo divirtiéndome.

Por supuesto, no pasó mucho tiempo antes de que mis amigos, todos trabajando en empleos fijos y cambiando su preciado tiempo por dinero, comenzaran a preguntar cómo lo hacía. Ellos también querían hacerlo. Querían tener "bienes", renunciar a sus empleos y divertirse como yo. Las preguntas nunca cesaban: "¿Cómo le haces con los bienes raíces? ¿Cómo compras propiedades? ¿Cómo *no* usas tu propio dinero? ¿Cómo te aseguras de que funcione? ¿Te puedo invitar a comer?" Yo contestaba: "Claro, todo el mundo tiene que comer". Solíamos ir a comer y yo les explicaba todo el asunto de nuevo.

Me di cuenta de que mi tiempo era un activo y que lo estaba desperdiciando demasiado al explicar las mismas cosas una y otra vez, aunque quería que todos mis amigos y sus amigos y los amigos de sus amigos tuvieran éxito también.

Así que escribí un reporte de veinte páginas y simplemente se lo daba a toda persona que quisiera saber cómo lo había conseguido. Después, alguien sugirió que sería un excelente libro. Yo estaba retirado, no tenía mucho que hacer salvo supervisar mis propiedades de bienes raíces, así que escribí a mano un libro (como dije antes, tengo una forma de dislexia que me impide poder usar una máquina de escribir o un teclado). Financié la publicación y, para mi sorpresa, el libro tuvo éxito, convirtiéndose en el primero de muchos libros míos que son éxitos de ventas sobre bienes raíces y construcción de riqueza.

También constituyó la parte medular de un guión que he usado para crear un negocio multimillonario de conferencias y asesorías.

Ahora tengo aún más activos y la mejor parte es que puedo ayudar a otras personas, justo como tú, a tener sus propios activos, a dejar de cambiar tiempo por dinero y a vivir una vida de idiota rico como yo.

ROBERT ADQUIERE SU PRIMER ACTIVO DE NEGOCIOS REAL

Como ya he dicho antes, hay tres activos básicos: acciones y bonos, bienes raíces y algunas formas de negocios. Pero también está el efectivo, en la forma de ahorros en cuentas bancarias, certificados de depósito y cuentas de inversión.

Ya te conté cómo adquirí mis primeros activos de acciones y bienes raíces. Ahora te voy a contar cómo adquirí mi primer activo de negocios.

En esa época, tenía muchas propiedades y muchos inquilinos. Yo creo en la ética del casero, un concepto muy radical
para algunos caseros. Es decir, yo creo que los inquilinos deberían ser tratados como clientes. Un inquilino mío me sugirió
que mi siguiente libro fuera para los inquilinos.

—Usted es casero —dijo—. ¿Por qué no escribe un libro
para inquilinos como yo? Diga a los inquilinos cómo los estafan
algunos caseros. Muéstreles cómo protegerse.

Me encantó la idea. Ahí había una necesidad real. Ahí
había personas que querían ayuda, así que escribí un libro y
lo titulé *The Renter's Rights Handbook* (*El manual de los derechos del
inquilino*).

El libro tuvo éxito. Me invitaron a un programa de televisión. Me entrevistaron en la radio. Los periódicos escribieron
artículos sobre mí y sobre mi libro.

Me inundaban cartas de inquilinos pidiendo consejos. Gran
parte del consejo que querían y necesitaban era legal. Tengo
un título en leyes, pero no soy un abogado practicante. Nunca
lo he sido. Soy un abogado feliz. Sin embargo, quería ayudar,
así que comencé a buscar algún tipo de servicio de consulta legal
que pudieran usar.

Finalmente, encontré lo que estaba buscando, una compañía llamada Pre-Paid Legal, que proporcionaba asistencia legal
por una cuota mensual accesible. Se trataba de una compañía de
mercadeo basada en recomendaciones que muchos lcq denomi-
narían compañía de mercadeo en multinivel o compañía de mercadeo en red. Yo utilicé el servicio, pensé que era excelente y me
inscribí como asociado. El problema fue que era una compañía
de mercadeo multinivel y yo era muy escéptico respecto de ese
tipo de firmas. Así que continué buscando ayuda de bajo costo
para los inquilinos.

Luego una tarde estaba hablando en una reunión a la que habían asistido aproximadamente cien inversionistas. Por casualidad mencioné esa organización Pre-Paid Legal que había encontrado y de repente sesenta y cinco miembros del público quisieron inscribirse en ese instante (www.GetRich WithRobert.com).

Le eché otro vistazo a la firma, a su reputación, a la forma en que prestaba su servicio a los clientes y decidí intentarlo. Llené las formas para los sesenta y cinco inversionistas y una semana después la empresa me envió un cheque de 8 000 dólares de comisión. Pensé que era un error porque, al ser el idiota rico que soy, nunca me molesté en averiguar sobre el plan de compensación y la estructura de pagos. Sólo sabía que si metías gente a la compañía te enviarían un cheque. Y así fue.

Cada mes que pasó, más y más gente de mis seminarios se inscribía y obtenía el consejo legal de bajo costo que necesitaba y yo recibía cheques cada vez más jugosos. Los inquilinos estaban felices. Yo estaba feliz. Y ahora tenía un negocio. Los inquilinos obtenían el consejo legal que necesitaban y los inversionistas y la gente de negocio obtenía buenos consejos, ahorraba dinero y obtenía acceso a excelentes abogados. Había creado otro flujo de ingreso para mí. Estaba ayudando a la gente. Había investigado un poco, había llenado una necesidad y ahora estaba recibiendo una recompensa por la actividad. Y ahí estaba el tercer activo de mi propio plan para convertirme en idiota rico.

Pero la cosa no terminó ahí para mí, porque, como aprendí, el éxito atrae más éxito. Me encontré conociendo a otras personas exitosas. Comencé a salir con gente más exitosa. Todo tipo de nuevas oportunidades comenzaron a presentarse. De repente, la gente me estaba buscando. "Robert, necesitas conocer a fulano y a mengano", decía alguien. "Tienen una excelente oportunidad de inversión" o "tienen una idea extraordinaria para un negocio". Yo comencé a conocer a esas personas emocionantes y creativas. Comencé a invertir con ellas y en ellas.

Ahora tenía dinero en el banco, un portafolio de acciones, bienes raíces, mi propio negocio y participación en los negocios de otras personas. Era rico en activos.

> ¡Recuerda!
> Otra forma de pensar como RICO:
> El ingreso residual te da felicidad.

SIGUE EL CAMINO DE LOS ACTIVOS

Cuando trazo mi camino de activos, desde la primera compra de acciones de Wendy's porque me gustaban las hamburguesas, mi encuentro fortuito con un hombre que me enseñó a invertir en bienes raíces, hasta la suerte de escribir el primero de mis libros que han sido éxitos de ventas (uno de los cuales me condujo a un negocio nuevo y exitoso), me siento sorprendido.

¿Y qué hay de *tu* camino hacia la riqueza? Marca el día de hoy como el comienzo de tu viaje. Sigue el camino a donde te lleve, como hice yo. No tengas miedo. Confía en ti. Confía en los poderes que te guían y revelan oportunidades. Explora cada uno de ellos. Actúa. Diviértete. Haz el bien. Disfruta cada minuto que pasas convirtiéndote en idiota rico.

> ¡Recuerda!
> Confía en tu camino hacia la riqueza y síguelo hasta
> donde te lleve.

ÚNETE A AA: ASIGNACIÓN DE ACTIVOS

Ahora que tienes (o que estás adquiriendo) todos esos activos, hay dos palabras que te pueden llevar de ser rico a ser mega-rico: asignación de activos. Así es cómo esto funciona para incrementar tu riqueza.

Activo

Todos los idiotas ricos tienen como su meta primaria la acumulación de la mayor cantidad posible de activos. Warren Buffett acumula acciones en compañías y reinvierte el ingreso de los dividendos de las acciones en más acciones. Bill Gates es dueño de una compañía que arroja utilidades enormes. Él toma esas utilidades y las reinvierte y el ciclo se repite. Donald Trump tiene bienes raíces que generan ingresos por rentas y que aumentan de valor. Él toma ese dinero y compra más bienes raíces.

Pero si estás buscando modelos a seguir, te recomiendo que busques más allá de esas "estrellas de los activos" como Warren Buffett, Bill Gates o Donald Trump y veas lo que está sucediendo en tu propia ciudad. Ahí encontrarás personas que han usado la misma fórmula cíclica para crear una riqueza duradera.

Tu primera meta como idiota rico que está iniciando es adquirir tus primeros activos. No necesitas mucho dinero, de hecho no necesitas nada de dinero. Puedes usar técnicas creativas de financiamiento, puedes pedir dinero prestado o puedes buscar socios. La clave es comenzar. Empieza hoy.

Asignación

Asignación se refiere a la forma en que se distribuyen tus activos. Es el número y el tipo de canastas distintas en las que pones tus huevos, donde la palabra clave es "distintas".

Los idiotas ricos nunca ponen todos sus huevos en una canasta. Qué tal si has almacenado esos valiosos huevos en la canasta de las acciones y esa canasta se cae... ¡paz! Ahora tienes un montón de huevos rotos. Qué tal si has colocado todos tus huevos en la canasta de los bienes raíces y el mercado de bienes raíces se desploma... más huevos rotos. Qué tal si todos y cada uno de tus huevos están en la canasta de tu negocio y pierdes una cuenta importante... puro cascarón de huevo. Cuando pones todos tus huevos en una canasta y esa canasta se rompe, lo mejor que puedes esperar es un omelet.

LA TRISTE HISTORIA DE SAM

Sam era un pariente lejano mío que había hecho decenas de millones de dólares en su negocio de reciclaje. Tenía un enorme tiradero de basura y recolectaba y reciclaba basura industrial. Sam era un visionario y estaba muy avanzado para su época. Hoy sería un héroe y uno de esos buenos ecologistas.

Pero la tragedia asestó la vida de Sam. La EPA dijo que algo andaba mal en el terreno donde se encontraba su negocio, terreno que había pertenecido a su familia durante cien años. La agencia realizó una demanda legal en su contra. Él peleó pero perdió la batalla. Sam pasó de ser rico a estar en la quiebra en cuestión de meses.

¿Cuál es la lección aquí? Si Sam hubiera diversificado la asignación de sus activos, todavía sería rico. En cambio, todo lo que poseía estaba ligado a su negocio. Cuando el negocio que amaba desapareció, también desaparecieron sus activos.

No es desleal diversificar tus activos para protegerlos. Más bien hacerlo es tu *obligación* como idiota rico.

EFECTIVO

Con dinero baila el perro

Has escuchado la expresión "con dinero baila el perro". Es cierta. Los idiotas ricos siempre tienen una canasta de efectivo líquido en su alacena. El efectivo te da la sensación de seguridad, te protege contra emergencias de activos repentinas y reduce tus niveles de estrés para que puedas tomar mejores decisiones. Como beneficio adicional, también crea un ingreso con intereses que puedes manejar y hacer compuesto. Todos los idiotas ricos quieren que fluya el efectivo a sus canastas de activos. Puedes empezar hoy tomando 10 por ciento de todo lo que ganes de ahora en adelante y creando tu primera canasta de efectivo. Imagina si hubieras tomado el 10 por ciento de todo lo que has ganado en los últimos diez años y lo tuvieras en una cuenta hoy. ¿Cómo te sentirías? Comienza hoy de modo que en diez años te sientas genial.

Flujo de efectivo

Tienes un montón de dinero entrante cada semana y medio montón de dinero que sale. Eso es flujo de efectivo positivo. Está bien.

Recibes 237 49 dólares cada semana y gastas 246 08. Eso es flujo de efectivo negativo. Está mal.

A veces incluso los idiotas ricos, como Sam, se bloquean. El dinero deja de fluir. Hay una crisis de efectivo.

Crisis de efectivo

Puede que tengas un portafolio de acciones fuerte y varios negocios, pero todo eso puede no protegerte de una crisis de efectivo o, como dicen quienes las padecen, flujo de efectivo negativo. A veces tu grifo del efectivo se tapa, se apaga o simplemente se seca. En esas ocasiones puede que necesites echarte un clavado a tu canasta de efectivo y tomar un poco de dinero.

Ésa es la razón por la que una de las asignaciones de activos más importante es una canasta con un valor de por lo menos seis meses de gastos corrientes bien guardaditos en el interior. Si tus gastos corrientes son de 5000 dólares al mes (recuerda incluir todo lo que necesitas), deberías tener por lo menos 30000 dólares en una cuenta de ahorros segura, con liquidez. De ese modo, si una de tus inversiones no resulta, o si pierdes tu empleo u ocurre algún otro desastre financiero, estarás preparado y en posición de mantener tus demás activos hasta que te recuperes. Personalmente, me gusta tener un suministro de doce meses para emergencias.

Capital en efectivo

Por último, una de tus canastas debe contener efectivo que esté esperando la aparición de una gran oportunidad de inversión. No querrás tener que pasar porque estás corto de dinero inmediato para invertir.

¡Recuerda!
Comienza hoy a ahorrar el 10 por ciento
de cada dólar que ganas.

ASESINOS DE ACTIVOS

Has conseguido tus activos. Los has asignado. Ahora te voy a mostrar cómo protegerlos de los cuatro enemigos:

1. Divorcio
2. Incapacidad
3. Muerte
4. El gobierno

Divorcio

Ésta es la buena noticia: La tasa de divorcios ha bajado de aproximadamente 53 por ciento del total de matrimonios a aproximadamente 42 por ciento. (El amor parece estar ganando, pero también he oído que parte de la razón de esta baja es que menos personas se casan.) Ésta es la mala noticia: el divorcio sigue llevándose la mitad de los activos acumulados: la mitad del efectivo, la mitad de las inversiones, la mitad de los bienes raíces, la mitad de los negocios.

Yo soy soltero, pero si me vuelvo a casar voy a tramitar un acuerdo prenupcial. (Exactamente, no lo tuve la primera vez.) ¿Sabes lo que va a decir mi acuerdo? "Si ella me deja, me voy con ella." Porque si tu cónyuge te deja, él o ella puede tomar la mitad de lo que tenían juntos.

Éstas son las reglas de Robert para proteger del divorcio tus activos:

1. *Elige con mucho cuidado a tu pareja.*

Éste no es un libro sobre relaciones, pero diré que es importante que te tomes el tiempo necesario y te asegures de que has elegido a la pareja adecuada. Ambos deberían tener sistemas de valores y metas en la vida similares. Sus opiniones sobre dinero, activos y riqueza deberían ser compatibles. Siéntense y discutan sus planes para crear y preservar riqueza en su matrimonio antes de decir "sí quiero".

2. *Firma un acuerdo prenupcial.*

Esto es muy importante, en especial si estás entrando a un segundo matrimonio o si tienes hijos de tu primer matrimonio. Los idiotas ricos saben que el amor es el amor, pero el dinero es el dinero, y no tienes que compartir toda tu riqueza con tu nuevo cónyuge y arriesgar el futuro financiero de tu familia. Busca un abogado y firmen un acuerdo prenupcial.

3. *Debes estar preparado para lo peor.*

Todos nos casamos esperando que dure para siempre, pero a veces las cosas no funcionan. Si estás desarrollando muchas inversiones, asegúrate de contactar a un abogado que se especialice en crear herramientas de protección de activos. Puede ser que te aconseje poner algunos de tus activos en un fondo irrevocable, un empresa de responsabilidad limitada, en un fondo de dinastía o en algún otro vehículo especializado. Consigue un buen abogado y sigue su consejo sobre protección de activos.

INCAPACIDAD

La incapacidad es un terrible asesino de la riqueza. Puede que no estés consciente de ello, pero cualquier año tienes cuarenta veces más probabilidades de quedar incapacitado que de morir.

Esto no pretende asustarte ni deprimirte. Simplemente estoy diciendo que tú trabajas duro para crear activos; asegúrate de protegerlos al protegerte.

Si actualmente trabajas para una empresa, puede que tengas un seguro de incapacidad, pero si trabajas para ti mismo es probable que no hayas dado los pasos necesarios para arreglar esto.

Pregúntate qué sucedería si te vieras involucrado en un accidente o si te enfermaras y no pudieras trabajar durante tres meses, seis meses o un año. ¿Podrías cubrir todas tus cuentas? ¿Tendrías suficiente dinero como para pagar tu hipoteca, tu tenencia del coche, mantener a tus hijos en la escuela, comprar comida y mantener el mismo estilo de vida que llevas ahora?

No pienses que esto no le sucede a la gente. Como inversionista en bienes raíces, veo que sucede todos los días. Veo gente que de repente se ve obligada a vender su casa por 30, 40 o 50 por ciento menos del valor de mercado porque se enfermaron por un periodo largo, se acabaron sus ahorros y al final no pudieron seguir cumpliendo con los pagos. Esas personas pasaron de tener una buena situación financiera a estar arruinadas. A menudo son personas de clase media, clase media alta e incluso de familias adineradas. La realidad es que demasiados estadounidenses, si no reciben uno o dos pagos, están a punto del desastre. ¿Tú eres uno de ellos?

Llama a un buen agente de seguros, organizador financiero o corredor. Asegúrate de comprar un seguro de incapacidad lo suficientemente bueno para protegerte.

MUERTE

Otro asesino de los activos es la muerte. Lo que muchos estadounidenses no saben es que si no estás protegido con un testamento y si no tienes arreglados los fondos adecuados, tu familia podría perder más de la mitad de lo que has ganado en tu vida. Demasiadas familias, incluso las adineradas, tienen que liquidar activos valiosos (terrenos, casas, colecciones de arte, negocios familiares) todo a causa de una muerte inesperada y financieramente desprotegida que ahora está sujeta a un impuesto gubernamental de 55 por ciento. Asegúrate de que todo tu papeleo esté en orden e informa a tu familia donde encontrarlo y qué debe hacer. Busca un profesional y asegúrate de que todo tu papeleo esté listo en relación con tus cuidados de salud, testamento, fondos, seguros, poderes de abogados, de modo que tu casa financiera esté en orden. Tengo ejemplos y contactos para ti en www.GetRichWithRobert.com.

EL GOBIERNO

Quiero que conozcas a tu socio de riqueza.

"Pero, Robert, yo no tengo ningún socio", protestas.

"Estás en un error", digo. "Tienes un socio, un socio que tiene una participación de cada negocio, inversión y cuenta que posees y que toma del 20 al 50 por ciento de tus activos, dependiendo del lugar en donde vives y de cuánto ganas."

¿Ya sabes quién es ese socio? Exacto. Es el gobierno, federal, estatal, municipal. Y la participación que tu socio toma es en la forma de impuestos. Hay impuestos por ingreso federales, impuestos por ingreso estatales, impuestos por ingreso locales, impuestos por ventas, impuestos por propiedades. Todos esos impuestos se suman y toman una buena parte de esos huevos depositados en diversas canastas.

Ahora, no me malentiendas. Los impuestos pagan muchos beneficios sociales necesarios: escuelas, caminos, seguridad y más. Pero como idiota rico será tu meta reducir legalmente la cantidad de impuestos que tienes que pagar de modo que incrementes tu base de activos.

Asegúrate de estar maximizando tus vehículos de reducción de impuestos y deducción de impuestos. ¿Estás usando tu plan de pensión en el trabajo? ¿Tú, tu cónyuge y tus hijos tienen cuentas de retiro individuales? Muchos idiotas ricos autoempleados (como yo) tenemos planes de pensión autodirigidos y cuentas de retiro individuales autodirigidas, que nos permiten determinar cómo y cuándo invertimos en nuestros fondos de retiro. Si calificas para uno de esos programas puedes restar 44 000 dólares de tu ingreso total anual, reduciendo así los impuestos que debes pagar. Si estás en el rango del 30 por ciento, el 30 por ciento de 44 000 dólares significa que no podrías pagar aproximadamente 13 200 dólares de impuestos. ¡Si calificas para esto, podrías evitar el pago de esos impuestos durante un largo periodo! Éste es un regalo "del gobierno" este año. Pero muchas personas simplemente no saben nada al respecto.

Como idiota rico, desafiarás tu forma de pensar en el dinero. Cada vez que obtienes un dólar no pensarás, "¡Vaya! Acabo de ganar otro dólar para mis canastas de asignación de activos". No, lo que vas a pensar es: "¡Vaya! Acabo de ganar otro dólar, y después de darle su parte a mi socio, voy a poner el resto (entre 50 a 80 centavos) en mi canasta de asignación de activos". Vas a pensar en dinero después del descuento de impuestos, no en dinero antes del descuento de impuestos.

> ¡Recuerda!
> El único dinero que cuenta es el dinero después del descuento de impuestos.

La historia del doctor Tommy

Tommy quería ser doctor desde que tenía uso de razón. Fue a la universidad. Se mudó a una escuela de medicina. Invirtió largos años en obtener un entrenamiento especializado. Al final, estuvo listo para abrir su consultorio. Fue entonces cuando el doctor Tommy me dijo un día mientras comíamos: "Robert, estoy muy emocionado. Voy a ganar 100 000 dólares al año y no puedo esperar para gastarlos". Detestaba tener que darle las malas noticias. "Tommy", dije, "es momento de ponerte los pies en la tierra. Tienes un socio y para cuando le hayas dado su parte a tu socio, te quedarán quizá 60 000 o 65 000 dólares al año." Fue entonces cuando se reventó la burbuja de los 100 000 dólares del doctor Tommy.

Cómo reducir la tajada de tu socio

Mi consejo es éste: reúnete con un buen contador y con un abogado fiscal confiable. Trabaja con ellos para desarrollar y usar todas las deducciones de impuestos que legalmente sean posibles y de las que tal vez no te estés beneficiando todavía. Mantener más de tu riqueza te permitirá vivir la vida de idiota rico que quieres y ayudar a muchas otras personas a vivir mejores vidas también.

Mi última palabra sobre tus activos

Nunca es demasiado tarde para comenzar. Y no necesitas dinero propio para comenzar. En los siguientes capítulos, verás lo fácil que puede ser.

Tu plan de acción para poner todo de cabeza del idiota rico

1. Haz una lista de cualquier activo que ya poseas.
2. Escribe qué activos vas a adquirir a continuación.
3. Hoy haz una cita con un buen organizador financiero, agente de seguros y abogado.

Endéudate

*Si piensas que a nadie le importa que estés vivo, intenta
no pagar un par de tenencias de tu coche.*

MERLE TRAVIS

¿A QUÉ TE REFIERES CON ENDEUDARSE?

Para este momento ya sabes que en lo que respecta a todo lo financiero, los idiotas ricos piensan y actúan completamente al revés, eso es lo que los hace idiotas ricos. Esa misma mentalidad y comportamiento de cabeza también aplica a la forma en que los idiotas ricos lidian con las deudas. Los idiotas ricos se endeudan. Conclusión: si quieres ser un idiota rico, tú también endéudate.

"Oye, Robert, estoy estresado al máximo porque ya estoy endeudado", dices. "Compré tu libro porque pensé que me ibas a ayudar a *salir* de las deudas. No entiendo lo que estás diciendo."

No te confundas ni te sientas frustrado. Lo que probablemente debí haber dicho justo al inicio es: sal de deudas *malas* y adquiere deudas *buenas*.

> ¡Recuerda!
> Los LCQ tienen "deudas malas".
> Los idiotas ricos tienen "deudas buenas".

Permíteme explicarlo. Hay dos tipos de deudas: las deudas malas y las deudas buenas. Los LCQ tienen toneladas de deudas malas; los idiotas ricos tienen toneladas de deudas buenas. Las deudas malas mantienen en la quiebra a los LCQ y los hacen estar cada vez "más quebrados". Las deudas buenas hacen que los idiotas ricos sean ricos y les ayudan a serlo aún más.

Vas a entender muy rápido porque voy a compartir contigo algunos métodos muy simples que los idiotas ricos usan para perder deudas malas y ganar deudas buenas. Para cuando haya terminado, serás capaz de armar un plan personal de idiota rico "para salir de las deudas malas y adquirir deudas buenas".

¿Qué es deuda mala?

La deuda mala es el tipo de deuda en la que probablemente estás enterrado en este momento. Es la deuda que has cargado a tus tarjetas de crédito por todo, desde las compras en el supermercado que hiciste ayer hasta el viaje que hiciste hace tres años y aún sigues pagando. Son todos los préstamos que llevan tu nombre, dinero que pediste prestado para tu auto, tus muebles, la boda de tu hija, el barco para pescar que no podías dejar de tener. Son todas esas tarjetas de crédito de distintas tiendas que pediste para comprar tu pantalla plana de cincuenta pulgadas, la carriola para el bebé junto con un mes de suministro de pañales e incluso el fertilizante para el pasto.

Todas esas cosas encajan en mi definición de deuda mala. ¿Por qué? Porque disminuye su valor, pierden valor, así que deben ser consideradas pasivas. ¿Recuerdas los pasivos, esos divertidos juguetes y cosas que consumes hasta que terminan por consumirte?

Vamos a echar un vistazo más de cerca y te mostraré por qué llamo deuda mala a lo que hay en tus tarjetas de crédito, tarjetas departamentales y préstamos. ¿Listo?

- Las compras que hiciste ayer en el supermercado: ya las consumiste y no te están dando a ganar ningún dinero, pero ahora están en tu tarjeta de crédito y tú debes pagar esa deuda.
- El viaje que hiciste hace tres años: ya hiciste el viaje, acomodaste todas tus fotos y colgaste la corona de flores hawaiana en el fondo del clóset. Te divertiste mucho pero tus vacaciones no te van a dar a ganar nada de dinero y todavía no las pagas. Es una deuda cuya existencia ha superado la de la compra.
- Los préstamos que tienes por tu coche, tus muebles, la boda de tu hija y ese barco de pescar, todas esas compras perdieron el 50 por ciento de su valor en cuanto tomaste posesión de ellas.

Así que ahora estás atorado pagando cosas que valen la mitad de lo que costaron cuando pediste dinero prestado para pagarlas en primer lugar. Piensa en lo que eso significa.

El auto no vale los 38 000 dólares que valía cuando aceptaste el crédito. En el minuto en que lo sacaste de la agencia bajó a 26 600 dólares. Pero el préstamo sigue siendo por el precio original. ¡Vaya! Lo mismo ocurre con tu bote. Y lo que hayas pedido para esos nuevos muebles maravillosos básicamente se convirtió en un préstamo por objetos de segunda mano en el minuto en que lo bajaron del camión. ¿A poco no es deprimente?

Tu pantalla plana de cincuenta pulgadas, la carriola del bebé junto con el suministro de pañales para un mes y el fertilizante para el pasto que compraste el año pasado son pasivos, no te están dando ningún dinero y tú tienes la deuda dividida en un montón de tarjetas de crédito departamentales.

Tipos de deuda mala

- Tarjetas de crédito bancarias con estados de cuenta que no se liquidan por completo mes con mes.
- Tarjetas de crédito departamentales con estados de cuenta que no se liquidan por completo mes con mes.
- Préstamos bancarios por autos, botes, juguetes.
- Préstamos de compañías financieras para comprar autos, botes, juguetes.
- Préstamos por cualquier cosa que no te genere dinero.

ENTONCES, ¿QUÉ ES LA DEUDA BUENA?

Aquí tienes una de las rápidas definiciones de Robert: la deuda buena genera más dinero del que cuesta. Permíteme darte un ejemplo. Digamos que pides un préstamo para iniciar un negocio. Si ese negocio te da más dinero del que te cuesta el préstamo, se trata de una deuda buena. Has pedido dinero prestado para generar más dinero. En otras palabras, la deuda buena es una deuda que compra activos. Y acabamos de estudiar los sorprendentes poderes para crear riqueza que tienen los activos.

UN INTERÉS QUE NO ES TAN INTERESANTE,
SINO DE HECHO FRANCAMENTE ATERRADOR

Permíteme darte un ejemplo más. Digamos que estás rentando. Como yo lo veo, estás pagando un interés de 100 por ciento sobre tu dinero de renta. ¿Cómo puedo decir algo así? Porque al final del mes ¿qué puedes mostrar por tus 1 000 dólares? Nada. Está bien, has vivido en un lugar durante un mes, pero eso no te generó un ingreso. Consumiste. Tu renta es un consumible. Es todo. Se acabó.

1. Hagamos las cuentas de tu coche. Digamos que compraste un coche de 20 000 dólares y que el banco te está cobrando entre 8 y 12 por ciento y que tu pago son 400 dólares al mes. En el minuto en que sacas el auto de la agencia se devalúa 14 000 dólares. Así que ahora estás haciendo un pago de 400 dólares por un activo (o pasivo) que se devaluó 14 000 dólares. Todos los meses tu auto vale menos, pero tu préstamo original estaba basado en el precio del auto *antes* de que perdiera la cuarta parte de su valor. Estás pagando un consumible. Es una situación donde no ganas.

2. Lo mismo aplica en el caso de un viaje. Gastas 2 000 dólares usando una tarjeta de crédito para pagar las vacaciones y cuando regresas no tienes nada que mostrar por tu dinero salvo buenos momentos y un recuerdo. Pero sigues haciendo los pagos a tu tarjeta de crédito. Esto significa que estás pagando capital e interés por algo que ya ha desaparecido.

3. Lo mismo aplica a los muebles y demás cosas que compras a crédito. Digamos que compraste y consumiste aproximadamente 50 000 dólares en cosas y lo cargaste a tus tarjetas de crédito. ¿Crees que es un número escandaloso? Apuesto a que todo el mundo conoce a alguien que debe eso o más en

tarjetas de crédito. Pero esas cosas ya no valen 50 000 dólares. Si las vendieras en una venta de garaje tal vez obtendrías 5 000 dólares por todo. Ahora hagamos las cuentas. Si éste es tu caso, entonces tus tarjetas de crédito te están cargando aproximadamente 20 por ciento de intereses sobre esos 50 000 dólares de mercancía que compraste. Eso es aproximadamente 1 000 dólares al mes en pagos o 12 000 dólares en todo un año por cosas que ya usaste y que valen apenas 5 000 dólares. Eso es más de 200 por ciento de interés.

Si eres como la mayoría de los estadounidenses con mentalidad LCQ, no dejas de adquirir cosas que bajan y bajan de valor en relación con el precio original, forzando tu deuda cada vez más. Muy pronto te quedas sin dinero… ¡y sin oxígeno! Como nos recuerda Orden Nash, un famoso humorista estadounidense: "Algunas deudas son divertidas cuando las contraes, pero ninguna es divertida cuando te quieres retirar de ella".

> ¡Recuerda!
> Deja de lado tus deudas por pasivos.
> Adquiere deudas por activos.

Por otro lado, si haces una inversión, aunque uses la deuda para adquirirla, ahora tienes un activo. Hagamos las cuentas. Digamos que compras un activo, en este caso una propiedad que compras por 150 000 y por la cual pagas un interés alto de 10 por ciento. Eso da aproximadamente 1 250 dólares al mes. Pero supón que ese activo te da a ganar 1 350 dólares al mes en ingreso de renta después de deducir los gastos. Ahora tienes un ingreso de 100 dólares al mes. Espera, se pone mejor. Ese activo aumenta de valor y cuando decides venderlo ganas aún más dinero. Tienes algo que vale algo. Tienes algo que generará ingreso… ahora y en el futuro. Tienes deuda buena. ¡Estás pensando como un idiota rico!

BIENVENIDO A DEUDA, E. U. A.

Justo en este momento tal vez te estés regañando diciendo: "¿En qué estaba pensando? Debo un dineral en tarjetas de crédito, un montón de préstamos y estoy endeudado hasta las orejas". No te sientas demasiado mal. Tienes mucha compañía. Hace unos años, James Grant, un asesor de negocios internacional, observó: "Los años ochenta son a la deuda lo que los años sesenta fueron al sexo." Eso no ha cambiado en el nuevo milenio. Sólo echa un vistazo a algunas de las siguientes estadísticas:

- Prime Debt Sotá reporta que el hogar estadounidense promedio tiene trece tarjetas que hay que pagar, incluyendo tarjetas de crédito, tarjetas de débito y tarjetas departamentales.
- CNN reporta que la deuda promedio en tarjetas de crédito por cada hogar alcanzó un récord de 9 312 dólares en 2004. Eso es un incremento de 116 por ciento en los últimos diez años.
- La revista *Fortune* reporta que la tasa de ahorros personales de los estadounidenses se ha hundido en un territorio negativo y fue registrada en -0.4 por ciento del ingreso del hogar después de la deducción de impuestos.
- Un estudio reciente de AC Nielsen reveló que aproximadamente uno de cada cuatro estadounidenses no tiene efectivo para gastar.

- *The Wall Street Journal* reporta que 70 por ciento de los estado-unidenses viven al día. Lo impactante es que, de acuerdo con Employee Benefits Trends, esta aterradora estadística compe-te al 34 por ciento de las personas con ingresos altos, quienes ganan más de 75 000 dólares al año.

- Una encuesta de la revista *Parenting* reveló que 49 por ciento de los estadounidenses podrían cubrir menos de un mes de gastos si perdieran su empleo.

- Esta crisis de crédito es peor en el caso de las mujeres jóve-nes. Una encuesta de 1 400 mujeres realizada por el pro-veedor de información de crédito en línea, My Equifax, encontró que 10 por ciento de ellas usaban más de 50 por ciento de su sueldo para pagar deudas cada mes, en com-paración con 6 por ciento en el caso de los hombres.

- ClearDebt encuestó a 5 558 personas con problemas eco-nómicos serios. De ellas, el 45 por ciento eran mujeres. Una de cada cuatro mujeres tenía menos de 25 años y 44 por ciento debía más de su ingreso anual en tarjetas de crédito y préstamos.

- CardTrak reporta que si realizas los pagos mínimos por una deuda de 3 000 dólares con un interés del 18 por ciento te tomará 431 meses (casi 36 años) liquidar la deuda ¡y te cos-tará 7 511.74 dólares de intereses!

ESTRÉS POR DEUDAS

Vamos a agregar algo más a la mezcla de las deudas malas. Cualquier deuda que te estresa es mala. La mayoría de las per-sonas se enfoca en tasas de interés, pagos de tarjetas de crédito, billetes y monedas. Pero la deuda mala conlleva una segunda desventaja, igualmente importante. La deuda mala puede afectar de manera negativa la calidad de tu vida perfecta. La deuda puede añadir una carga de estrés masivo que puede influir en tu percepción de ti mismo y tu éxito potencial e incluso tu salud. Este tipo de estrés puede consumirlo todo, llenando tus pensamientos de miedo y tu espíritu de infelicidad.

En un texto escrito hace cientos de años, Ralph Waldo Emerson pintó una imagen del estrés ocasionado por la deuda mala: "La deuda, la fastidiosa deuda, cuyo yugo enfrenta la viuda, el huérfano y los hijos del genio miedo y odio, la deuda, que consume tanto tiempo, que incapacita y descorazona a un gran espíritu con preocupaciones que parecen tan básicas, es una maestra cuyas lecciones no pueden ser olvidadas y que más necesitan quienes por ella sufren más".

Piensa en la deuda mala como un tipo de colesterol malo financiero, que tapa tus arterias. Piensa en la deuda buena como en un tipo de colesterol bueno financiero, que mantiene tus arterias limpias y abiertas.

A mí también me sucedió esa crisis de estrés por deudas. Cuando mis propiedades se vieron afectadas por un tornado, tuve que gastar todas mis reservas de dinero en efectivo para arreglarlas. Me quedé sin un centavo de efectivo. Cada hora, cada día pensaba en cómo iba a pagar mis cuentas. Estaba muy endeudado. Tenía hipotecas. Tenía deudas en tarjetas de crédito. Tenía gastos corrientes, gastos por el coche, gastos de gasolina. Me estaba entrando muy poco dinero. Me consumía la preocupación de cómo me las iba a arreglar para pagar la próxima cuenta.

Por eso creo que cualquier deuda que drena tu energía y te hace preocuparte en exceso es una deuda mala de la cual tienes que deshacerte lo más rápido posible.

Deudas y divorcio

Linda M. McCloud, quien escribe para Associated Content, dice: "La razón número uno por la cual la gente se divorcia es el dinero". No todo el mundo está de acuerdo con esto. Sin embargo, la mayoría de las investigaciones coloca al dinero entre las cinco razones principales de divorcio. msn Money reporta: "En un estudio de parejas casadas de 1980 a 1992, 70% reportaron algún tipo de problema económico".

Deudas con familiares y amigos

No olvidemos el estrés que se suma a las relaciones familiares ya de por sí precarias cuando la deuda se añade a la mezcla. Muchos le hemos pedido prestados 5 000 o 10 000 dólares a mamá y papá, a nuestro tío rico o a un par de primos para ese próximo negocio excelente que nunca funcionó. ¿Qué sucede? Las reuniones familiares ya de por sí son estresantes, agrega el factor de la deuda y de repente lo que era una relación complicada entre tú y tu familia se vuelve supercomplicada. Y el problema nunca desaparece. Todo el mundo tiene una historia familiar llena de enojo, resentimiento e incluso años de doloroso silencio entre las dos partes.

Esto me recuerda una historia sobre dos muy buenos amigos míos que perdieron su amistad por una deuda. Vamos a llamarlos Joe y Ed. Joe pidió prestados a Ed 5 000 dólares para un negocio. El negocio no resultó. Ed nunca pagó la deuda. Pasaron cinco años y todo ese tiempo ninguno le dirigió la palabra al otro. Joe estaba enojado porque Ed no le había pagado. Ed estaba furioso porque pensaba que Joe estaba exagerando. Han pasado más años desde eso. Ambos son exitosos ahora. Y, no obstante, esos 5000 dólares siguen sin ser perdonados por ambos. Y las consecuencias de ellos son estrés, enojo, frustración y la pérdida de una valiosa amistad. Además, esos dos hombres hubieran podido hacer mucho más dinero juntos. Esos 5000 dólares resultaron ser una muy mala deuda para ambos.

NEGACIÓN ANTE LAS DEUDAS

¿Tienes una actitud de negación ante las deudas? He trabajado con mucha gente en juicios de ejecución hipotecaria que estaban gravemente endeudados. No habían dejado de pedir dinero prestado una y otra vez, hasta que estuvieron a punto de perder sus casas y todo cuanto poseían. Puedo recordar cuando tocaba a la puerta de personas como ésas y decía: "Su casa va a juicio mañana a las 10:00 a. m. La van a subastar. Permítame comprar su casa. Vamos a pensar algo que sea una situación ganar-ganar".

¿Sabes cómo respondía esa gente?

"Todo está muy bien."

De los miles de personas con quienes he hablado que estaban enfrentando un juicio de ejecución hipotecaria, casi el 99 por ciento me dijo que todo estaba bien. Todos creían que algo iba a pasar para salvarlos. El jefe iba a duplicar su sueldo. Iban a sacarse la lotería. Ed McMahon iba a aparecer con un cheque por un millón de dólares de Publishers Clearing House. Iban a ganarse una fortuna en las maquinitas o su billete de lotería de 5 dólares iba a ser el premio mayor. Tenían una actitud de negación total. Necesitaban poner una revisión de la realidad en relación con las deudas. ¿Qué hay de ti? ¿Tienes una actitud de negación ante las deudas? Vamos a descubrirlo. A continuación hay algunas señales de advertencia claves de que hay demasiadas deudas. ¿Cuáles se aplican a ti?

Señales de advertencia de que hay demasiadas deudas

1. No tienes nada ahorrado.
2. Pagas sólo el mínimo en tus tarjetas de crédito.
3. Tus tarjetas están precariamente cerca del límite máximo.
4. Usas una tarjeta de crédito para pagar otra.
5. Tienes más de tres tarjetas de crédito con saldos que nunca liquidas.

VAMOS A TOMAR TU TEMPERATURA FINANCIERA

Esto es aterrador para muchas personas, pero, créeme, es un paso crítico en el camino hacia convertirte en un idiota rico. Saca un pedazo de papel y escribe las siguientes cantidades.

Pagos mensuales

Pago de hipoteca (incluyendo impuestos y seguro) o tu pago de renta mensual	$ _____
Tu pago de préstamo o línea de crédito de equidad por tu casa	$ _____
Tu pago del coche	$ _____
Tus pagos a tarjetas de crédito	$ _____
Otras cantidades de préstamos mensuales	$ _____
Cualquier otra deuda mensual	$ _____
TOTAL	$ _____

Ingreso mensual

Sueldo que llevas a casa $ _____

Cualquier otro ingreso $ _____

TOTAL $ _____

RESULTADOS: Si tus deudas mensuales son más altas que tu ingreso mensual estás en la zona *roja* y debes comenzar un programa de reducción de deudas malas de inmediato. ¿Listo?

VAMOS A SACARTE DE TUS DEUDAS MALAS

Pero antes de que lo hagamos, quiero decirte algo sobre las deudas *realmente* malas. Hay deudas malas y luego están las deudas realmente malas. Y no entres en pánico si ésas son las que tienes tú. Todos lo hemos hecho. Todos hemos estado ahí. Incluso yo. Incluso la mayoría, si no es que todos los idiotas ricos. La deuda realmente mala es el dinero que pides prestado para pagar tu deuda mala básica. Cuando yo estuve en problemas y enfrenté toneladas de deudas malas y no podía hacer los pagos necesarios, lo primero que hice fue correr a tratar de pedir prestado más dinero. Pedí más dinero contra mis propiedades, contra mis negocios, contra mis tarjetas de crédito. Ése es un escenario en donde no se puede ganar. Es como si un alcohólico dijera: "¡Caray! Quiero dejar de beber, así que voy a salir a comprarme otra botella de licor". O como si un drogadicto dijera: "Consumo cocaína y no la puedo dejar, así que me voy a meter una buena cantidad hoy y eso me ayudará a sacudirme el hábito mañana." ¡Qué tontería! Aquí hay una enorme regla de Robert: *La deuda no cura la deuda.*

Pero hay formas de salir de las deudas. Vamos a empezar en este preciso momento.

PON LOS PIES EN LA TIERRA

Primero que nada, te tengo noticias realmente buenas. En Estados Unidos no pagar tus deudas ya no es un crimen salvo en circunstancias específicas. En Inglaterra, hace muchos años, ese comportamiento podía colocarte en la prisión para deudores. Estados Unidos no tiene prisiones para deudores, así que aunque estés teniendo problemas económicos, pregúntate: "¿Qué es lo peor que podría pasar?" Sé que el miedo impide que muchos de ustedes entren en acción. La forma en que yo reduzco mi miedo es analizando el peor escenario posible. ¿Qué tal si mis bienes raíces quedaran en cero? ¿Qué me sucedería? No me moriría de hambre. Seguiría teniendo un lugar donde vivir. Seguiría teniendo mi habilidad para hacer dinero.

Lo primero que necesitas hacer es perder tu miedo. *Puedes* salir de las deudas. Hay muchas maneras en que lo puedes hacer. No permitas que el miedo empeore aún más tu situación de deudas malas.

DIVIÉRTETE

Seguro piensas que estoy bromeando. Puedo oírte diciendo: "Robert, tengo un problema tan grave ¿y tú me dices que una de las formas de salir de las deudas es divertirse? ¿Qué te pasa?"

No me pasa nada. Tu plan "para salir de las deudas malas" debe tener como primer objetivo "divertirte". La vida es un regalo valioso. El tiempo es lo más valioso que tienes, más valioso que la riqueza y los bienes que puedes adquirir. Cada momento que pasas preocupándote es un momento que has destruido y que no puedes recuperar. Tu deuda puede y será controlada. Ahora pon una sonrisa en tu rostro. Dale un abrazo a alguien que quieras. Delimítate. Siéntete aliviado. Deja que llegue la alegría. Estás a punto de obtener consejos sobre varias maneras de salir de las deudas malas y mejorar tu vida. ¿Ya te estás divirtiendo?

HAZ UN PLAN

Acabas de tomarte tu temperatura financiera. Ahora toma otro pedazo de papel y escribe todas las deudas que tengas y dónde están. Haz una lista de todos los préstamos y la cantidad concreta. Haz una lista de todas las tarjetas de crédito en las que debes dinero y del saldo que debes. Ahora regresa y lee los estados de cuenta de tus tarjetas de crédito. Lo que tienes que buscar es la tasa de interés que te cargan mensualmente. Escribe la tasa de interés junto a cada tarjeta de crédito. No te preocupes si las tasas de interés son diferentes. Encontrarás que pueden variar de 12 a 28 por ciento. Tómate tu tiempo. Este plan te dirá no sólo dónde te encuentras parado en este momento, sino también qué tan rápido puedes reducir todos esos números.

HAZ UNA PROMESA: SIGUE LOS CINCO MANDAMIENTOS DE LAS TARJETAS DE CRÉDITO

1. Corta todas tus tarjetas de crédito excepto una.
2. Resiste todas las tentaciones de aceptar nuevas tarjetas de crédito.

3. Nunca cargues comida, ropa o entretenimiento en una tarjeta de crédito.
4. Paga más del mínimo de saldo cada mes hasta que la cuenta esté liquidada.
5. Paga las tarjetas de crédito a tiempo para evitar cargos moratorios e incremento de intereses.

HAZ LA DEMOSTRACIÓN DEL BASURERO

Es importante tener una imagen visual fuerte de cuánto te están costando las tarjetas de crédito. Cada vez que hago esto con alguien, nunca lo olvida. Adelante, inténtalo.

Saca el dinero que tengas en tu cartera o en tu bolso. Digamos, por ejemplo, que son 100 dólares. Toma la quinta parte, 20 dólares, y arrójalos a la basura. Esa cantidad aproximadamente representa el pago de interés promedio que estás haciendo por un saldo vencido de tarjeta de crédito. Y no es todo. Ahora toma otro 30 por ciento de lo que tienes en la cartera y también arrójalo a la basura. Eso representa aproximadamente lo que pagas de impuestos. En otras palabras, la mitad de lo que consideras tu dinero no lo es. La mitad se va a la basura. Realiza esta demostración frente a toda tu familia. Verás ese bote de basura cada vez que saques una tarjeta de crédito para pagar algo y será un gran incentivo para que reduzcas tu uso de tarjetas.

COMIENZA A BAJAR TU DEUDA DE TARJETAS DE CRÉDITO

Hay dos escuelas de pensamiento sobre cómo bajar las deudas de las tarjetas de crédito. Una escuela recomienda pagar la tarjeta con la tasa de interés más alta, porque es la tarjeta que más dinero te está costando.

La segunda escuela aboga por lo que yo llamo el enfoque "de la bola de nieve". Así es como funciona: Digamos que tienes cinco tarjetas de crédito, todas con deuda. La primera tiene un saldo de 10 000 dólares, la segunda de 6 000, la tercera de 4 000, la cuarta de 2 000 y la quinta de 1 500. Pagas primero el saldo de 1 500 dólares. Luego tomas el dinero que estabas usando para pagar esa cuenta y lo aplicas, junto con el pago mínimo, a la siguiente tarjeta, en este caso aquélla en la que debes 2 000 dólares. De esta manera pagas rápidamente la deuda que tenías en la cuarta tarjeta. Haces lo mismo con la tercera y luego con la segunda. Usando este método, sientes que estás logrando algo cada mes, y, de hecho, lo estás haciendo.

Haz una llamada

Ésa es la estrategia del idiota rico. Aprende esta habilidad y serás capaz de incorporarla a todos tus futuros tratos financieros. Estoy consciente de que esto será difícil para muchos de ustedes, pero te aseguro que puedes hacer mucho dinero con sólo levantar el teléfono y pedir una reducción en la cantidad total de deuda, en la cantidad de intereses que te están cargando o en ambos.

En los papeles de tu préstamo o de tu tarjeta de crédito debe haber, en cada caso, un número de servicio al cliente. Cuando logres que un ser humano esté en la línea, dile que quieres hablar con alguien que tenga la capacidad de autorizar una reducción en los pagos de tu préstamo o en tu tasa de interés. Mantente firme. Mantente en la línea hasta que consigas hablar con alguien que realmente tome una decisión.

Lo que tienes que decir es esto: "Me gustaría que su compañía redujera la cantidad de esta deuda para que yo la pueda pagar. También me gustaría reducir la tasa de interés y los pagos mensuales para ayudarme". Las probabilidades indican que las compañías buenas cooperarán contigo para reducir ya sea la deuda o tu tasa de interés o tus pagos mensuales.

Cuando estés hablando con una compañía de tarjetas de crédito, también deberías dejarle saber al agente que has investigado otras compañías de tarjetas de crédito y sus tasas de interés y has descubierto que te puede ir mejor con alguien más. A menudo la compañía de tu tarjeta de crédito reducirá su tasa de interés para igualar la de la competencia.

¿Cuál es la ventaja de esta estrategia? Puede que tengas menos deuda mala por pagar, a una tasa favorable. ¿Cuál es la desventaja? Incluso si el agente dice que no, no estarás peor que antes de haber tomado el teléfono.

Hazlo.

BUSCA UN ASESOR DE CRÉDITO

Recuerda, los idiotas ricos usan el poder de O. P. (Otras Personas). Así que piensa en agregar a un asesor de crédito a tu equipo de ensueño de idiota rico. No importa que estés endeudado. Es sólo un paso que te dará poder, información vital y añadirá un jugador poderoso con la experiencia necesaria para ayudarte a alcanzar no sólo tus metas de reducción de deudas, sino también tus metas de riqueza. Ésta es también una buena estrategia para reducir el estrés que resulta de tener demasiadas deudas malas. De repente tienes a un experto negociando tu deuda en una forma que resultará a tu favor. Estás a salvo de llamadas de acreedores y cartas para exigir pagos. Has creado un plan sólido y has obtenido la ayuda necesaria para aplicarlo. ¡Ésta es la forma de pensar y de actuar de los idiotas ricos!

ACUMULA DINERO ADICIONAL PARA PAGAR DEUDAS

Vende tus cosas

Revisa toda tu casa, incluyendo el sótano, la cochera, el ático y el cuarto que destines a almacenar cosas, si es que lo tienes, y saca cosas que se puedan vender. Haz una enorme venta de garaje o de jardín y cambia tus cosas por dinero extra. Cualquier cosa que te sobre se puede vender en eBay, a través de una tienda de consignación o puedes colocar un pequeño anuncio en el periódico de tu localidad.

Vende cosas de otras personas

Visita a tu familia y vecinos y pregúntales si tienen cosas que te puedas llevar y vender. No seas demasiado orgulloso como para explicar que es parte de tu esfuerzo por conseguir dinero extra para salir de deudas. Ofrécete a hacer el trabajo y divide las ganancias a la mitad. Las probabilidades indican que tu familia y amigos se sentirán tan aliviados de verte trabajar en una solución positiva, mientras los ayudas a deshacerse de cosas que no quieren, que te permitirán quedarte con todo el dinero que obtengas.

Reduce

Eso fue lo que hice yo. Y considero que fue una de las mejores decisiones de mi vida. Como todo el mundo, tenía muchísimos gastos generales. Tenía una oficina, una casa grande, muchos automóviles, muchos juguetes caros. Era divertido, pero también costoso. Tenía que comprar todas esas cosas, mantenerlas, almacenarlas, asegurarlas y moverlas. Decidí que simplemente no era necesario. Me deshice de mi enorme casa, de la oficina, de la mayoría de los juguetes. ¿Cuál fue el resultado? Dinero para pagar deudas malas. Dinero para invertir en deudas buenas, basadas en activos.

Organiza una recaudación de fondos

Ésta es una de las estrategias más ingeniosas para "salir de las deudas malas" que he escuchado y la idea surgió de manera accidental en uno de mis propios seminarios.

Una joven llamada Amanda asistió a uno de mis seminarios y estaba endeudada... muy endeudada. Me escuchó hablar sobre usar tus poderes creativos para aniquilar las deudas y al día siguiente en la sesión de continuación levantó la mano para hablar: "Robert", dijo, "sólo quiero decirte que cuando me senté en tu seminario ayer por la mañana tenía una deuda de 8 000 dólares. Esta mañana mi deuda bajó a 4 000 dólares. Quiero agradecerte por toda tu ayuda."

Bueno, yo estaba realmente sorprendido e intrigado. Era uno de los éxitos más asombrosos para "salir de deudas malas" de los que había escuchado. "¿Te gustaría compartir con nosotros cómo lo hiciste?", pregunté. Ella explicó que simplemente realizó una recaudación de fondos personal. Llamó a sus familiares y amigos, y les pidió que "donaran" fondos para ayudarla a reducir su deuda. ¡Por sorpresa, nadie la rechazó! Y desde su punto de vista, la mejor parte de la campaña no fue sólo la reducción de la deuda, sino que se trataba de donaciones, no préstamos, así que no tenía que pagarlos.

Consigue un trabajo "para salir de deudas"

Otra estrategia efectiva es tomar un trabajo de medio tiempo y disponer las ganancias para pagar más rápido las deudas malas. Si buscas un poco puede que encuentres empleos flexibles como cuidar niños o trabajar como mesero (las propinas pueden ayudar).

Consigue un préstamo de consolidación

A veces, fiscalmente tiene sentido tomar un préstamo de consolidación, el cual por lo general es una línea de equidad de casa a una tasa de interés relativamente baja y usar esos fondos para pagar tarjetas de crédito con intereses más altos. Otra ventaja de un préstamo de consolidación es que este tipo de financiamiento por lo general está disponible a un periodo largo, lo cual disminuye tu pago mínimo mensual. Aunque yo no abogo por endeudarte más, ésta es una excepción, siempre y cuando uses esos fondos para pagar tus tarjetas de crédito y luego te deshagas de ellas.

La palabra que empieza con "B"

Declararte en bancarrota te puede ayudar a limpiar algunas o la mayoría de tus deudas y puede ofrecerte una oportunidad de empezar de nuevo. Sin embargo, conlleva severas penalidades. Tu crédito se verá afectado negativamente, tu imagen de ti mismo puede verse dañada y puede que te topes con la hostilidad de los acreedores que consideran poco ética esta estrategia. En cualquier caso, esta estrategia para reducir las deudas debe utilizarse sólo después de consultarlo con un abogado que se especialice en esa área.

LOS IDIOTAS RICOS Y LAS DEUDAS BUENAS

Hagamos una rápida recapitulación en relación con las deudas buenas y por qué los idiotas ricos las usan para hacerse aún más ricos. Las deudas buenas son deudas que asumes y te dan más dinero del que cuestan. Las deudas buenas pueden ser un préstamo que te tramites para empezar un negocio. Si ese negocio te da más dinero de lo que cuesta el préstamo, definitivamente se trata de una deuda buena. Has pedido dinero prestado para generar más dinero. En otras palabras, las deudas buenas son deudas que compran activos. Puede tratarse de un préstamo que tramitas para comprar bienes raíces, o invertir en acciones, bonos, fondos de inversión, o puede ser dinero que ahorras a una tasa de interés más alta que la tasa de interés a la cual lo pediste.

¿CUÁL ES LA CANTIDAD ÓPTIMA DE TIEMPO PARA TENER UNA DEUDA BUENA?

Es una excelente pregunta que hago todo el tiempo. Durante cuánto tiempo debes comprometerte a tener una deuda buena depende de tu personalidad y de tu tolerancia al estrés de las deudas.

Si tomas decisiones basadas más en la economía que en la emoción, tramitarás un préstamo de deuda buena por el periodo más largo posible. Así es como yo dispongo mis deudas buenas. Pido prestada la mayor cantidad de dinero posible durante el periodo más largo que permite el préstamo: veinte años, treinta años o cien años... lo más que puedo estirarlo. Ésa es una estrategia de idiota rico. Asegúrate de que tus ganancias sean mucho más que el costo de la deuda.

Si tomas decisiones basadas más en la emoción que en la economía y eres del tipo que anhela seguridad y que se preocupa por las obligaciones financieras a largo plazo, querrás pedir el dinero a un plazo más corto. Supéralo. Esa mentalidad es la contraria a la de los idiotas ricos.

La mentalidad de los idiotas ricos sobre las deudas

Vamos a echar un vistazo a los funcionamientos internos de la máquina para hacer dinero. Vienen algunas cuentas, pero es divertido y los números te sorprenderán.

Ejemplo 1
Los idiotas ricos piensan que la deuda es una herramienta. Digamos que inviertes 10 000 dólares en una acción, propiedad o cualquier otra inversión. Y también digamos que cada año esos 10 000 dólares te dan una ganancia de 1 000 dólares. Acabas de obtener el 10 por ciento de ganancia por tu inversión. Pero así no es como piensan los idiotas ricos en realidad. Antes de que te des una palmadita en la espalda, échale un vistazo a esto.

Ejemplo 2
Digamos que inviertes 100 dólares y luego vas al banco y pides prestados 9 900 dólares a la mejor tasa de interés. Has revisado y vuelto a revisar tus cuentas, y encuentras que tu inversión sigue arrojando 1 000 dólares al año. Sólo por cuestiones del ejemplo, digamos que el préstamo te cuesta 800 dólares al año. La diferencia entre los 1 000 dólares que obtienes y los 800 que tienes que pagar cada año es de 200 dólares. ¿Así que cuál es la conclusión? Acabas de ganar 200 dólares por una inversión

de 100 (recuerda que invertiste 100 dólares y el banco puso el resto). Ahora tu ganancia sobre inversión es de 200 por ciento. Y hay un bono: si la inversión es de las que te permiten deducir impuestos, logras hacer aún más dinero. Esto se denomina apalancamiento. Es la forma en que los idiotas ricos convierten lo que podrías llamar deudas malas (préstamos) en deudas buenas (apalancamiento). Pero hay una advertencia. Realmente debes investigar y hablar con otros idiotas ricos antes de hacer este tipo de inversiones. Espera hasta que tengas luz verde.

¡Advertencia!
Los idiotas ricos son muy conservadores y no piden dinero prestado si no creen que lo van a poder pagar.

LOS IDIOTAS RICOS Y LAS TARJETAS DE CRÉDITO

Los idiotas ricos aman las tarjetas de crédito. Y las usan para hacer dinero y comprar lujos. Así es como funciona:

Por lo general, algunos idiotas ricos utilizan sólo dos tarjetas de crédito. Una es para gastos de negocios, la otra para gastos personales. Los idiotas ricos tienen saldos mensuales enormes en sus tarjetas (25 000 dólares cada mes) pero también los pagan por completo cada mes. Los idiotas ricos no permiten que los saldos de sus tarjetas de crédito se revuelvan. Esta estrategia les permite tener un uso libre de DOP (dinero de otras personas) para un mes completo, mientras que su dinero está invertido produciendo aún más dinero a una tasa de 8, 10 o 18 por ciento.

La otra gran razón por la que los idiotas ricos hacen uso frecuente de sus tarjetas es que la mayoría ofrece puntos. Cuantos más puntos, más cosas gratis. Yo viajo mucho, así que tengo cientos de miles de puntos acumulados, los cuales utilizo para viajar gratis, recibir mejoras en servicios, productos, hoteles y más. También regalo mis puntos a personas que necesitan un lugar donde quedarse o a obras de caridad, que los usan para ayudar a los menos afortunados.

LOS IDIOTAS RICOS Y EL HISTORIAL CREDITICIO UBICUO

Algunos idiotas ricos no se preocupan por el historial de sus créditos. Por supuesto que un buen historial es bueno, pero la realidad es que los idiotas ricos por lo general usan el crédito y el dinero de otras personas, así que su historial crediticio en realidad no es un factor. Aunque he comprado muchas propiedades, no he usado mi historial crediticio para pedir dinero prestado. Una vez que aprendas a usar el dinero y el crédito de otras personas, probablemente también dejes de usar el tuyo.

REPENSAR EL CERO

Ahora que conoces la diferencia entre deuda mala y deuda buena, vamos a terminar este capítulo con un ejercicio de estiramiento. Probablemente has estado pensando que necesitas reducir el número de "ceros de deuda" en tu vida. Eso es cierto sólo si los ceros tienen que ver con deuda mala. Para convertirte en un verdadero idiota rico, deberías practicar pensar en *añadir* ceros a tu deuda... a tu deuda buena.

Aquí tienes una historia que te mostrará cómo pensar más allá de tu "barrera de los ceros", o zona de confort, puede acelerar drásticamente tu riqueza.

Una amiga mía tenía un pequeño condominio por el que pagaba 119 000 dólares. Era encantador y ella estaba muy orgullosa de ser propietaria. Dos años después de comprar la propiedad, su asesor financiero le sugirió que comprara una casa más grande, más costosa. Juntos calcularon la cantidad en dinero de la casa que podría tener. Se sintió impactada cuando supo que podría comprar una casa de 750 000 dólares. Su zona de confort había sido el rango de 200 000 dólares. Pero se aventó, compró la casa nueva ¡y cuatro años después la vendió por 1 250 000 dólares! Al sumar algunos ceros a su tolerancia a la deuda ganó 500 000 dólares.

¿Cuál es la lección? Los idiotas ricos piensan en números grandes. Inténtalo.

TU PLAN DE ACCIÓN PARA PONER TODO DE CABEZA DEL IDIOTA RICO

1. Haz una lista de todos tus activos.
2. Haz una lista de todos tus pasivos.
3. Haz un plan para pagar todas tus deudas malas.
4. Haz un plan para adquirir deudas buenas.
5. Obtén mi "Organizador para prepararte a volverte rico" en www.GetRichWithRobert.com.

Tres tratos y estás listo

Es una sensación cómoda saber que estás parado en tu
propio terreno. La tierra es prácticamente lo único que
no se puede ir volando.

ANTHONY TROLLOPE

El activo conocido como bienes raíces

Hay algo que necesitas para convertirte en un idiota rico y ese
algo son activos. Ahora, como ya sabes, hay tres tipos de activos:
bienes raíces, acciones y negocios propios. Adquirir cualquiera
de esos activos te ayudará a convertirte en un idiota rico. Adquirir los tres no sólo puede convertirte en un idiota súper rico,
sino en un idiota superastuto.

¿Por qué los tres? Porque, como ya has aprendido, necesitas
poner tus activos en diferentes canastas para mantenerlos a salvo. De este modo, si una de las canastas se rompe y pierdes el
contenido, seguirás teniendo muchas canastas bonitas llenas de
muchos activos bonitos.

Veamos qué tan bien encajan los bienes raíces en la definición de activos. Recordarás que todos los activos verdaderos comparten estas tres características.

1. Tienen valor.

Los bienes raíces tienen valor. Tienen valor tanto en relación con la construcción como en relación con el terreno.

2. Tú los posees o los controlas.

Si tienes las escrituras o tienes un contrato con opción a compra, tú controlas la propiedad.

3. Te proporcionan un beneficio futuro (es decir dinero).

Los bienes raíces te proporcionan beneficios futuros en la forma de deducciones de impuestos, ganancias de capital, ingreso por rentas y aumento de riqueza. También puedes usar el apalancamiento para comprar bienes raíces sin usar tu propio dinero.

Puedes ver que los bienes raíces son un activo poderoso. Es el activo que me permitió empezar en el camino de la riqueza y si este idiota rico pudo hacerlo, créeme, tú también puedes. Comencemos.

LOS IDIOTAS RICOS *AMAN* LOS BIENES RAÍCES

Ya sea mi amigo Donald Trump diciendo: "Es tangible, es sólido, es hermoso. Es artístico, desde mi punto de vista, y simplemente me encantan los bienes raíces" o Suze Orman anunciando: "Tener una casa es la piedra angular de la riqueza [que proporciona] tanto afluencia financiera como seguridad emocional", no cabe duda de que los bienes raíces son el activo favorito de muchos expertos en riqueza.

Tú también puedes convertirte en un idiota rico, con tan sólo tres propiedades de bienes raíces. Correcto: con tan sólo comprar tres propiedades (tu propia casa más dos propiedades de inversión) teniéndolas durante tres años, puedes retirarte en veinte años con casi 4 millones de dólares o en treinta años con más de 7 millones de dólares. Y eso es simplemente con la estrategia más simple y conservadora de los bienes raíces. Si sumas más propiedades y empleas estrategias de inversión más creativas para generar riqueza, puedes aumentar tus ganancias y reducir la cantidad de tiempo que te tome convertirte en idiota rico de los bienes raíces.

> ¡Recuerda!
> Los idiotas ricos obtienen el dinero primero
> y luego la casa.
> Los LCQ buscan primero la casa y luego
> no pueden conseguir el dinero.

Primero, te voy a mostrar los drásticos números que puedes lograr con sólo tres propiedades. Luego te voy a mostrar cómo hacerte rico más rápido con algunas estrategias de adquisición creativas y mis propias "Reglas de bienes raíces de Robert" para inversionistas.

Como sabes, los bienes raíces, como cualquier inversión, pueden subir, pueden bajar o pueden mantenerse. El aumento de valor, el interés, la tasa de gastos pueden variar. Yo normalmente enseño a la gente a comprar valores que están por debajo del mercado y a investigar para que se sientan cómodos. Las cifras a continuación son tan sólo ejemplos que ilustran cómo puede funcionar el proceso.

Propiedad 1	Tu propia casa
Precio que pagaste	300 000 dólares
Términos de la hipoteca	20 años
Tasa de interés	7%
Aumento de valor/año	6%

Periodo	Valor de la propiedad	Cantidad restante de hipoteca
5 años	404 655 dólares	257 953 dólares
10 años	545 819 dólares	180 000 dólares
20 años	993 061 dólares	0 dólares
30 años	1 806 773 dólares	0 dólares

Propiedad 2	Tu primera propiedad de inversión
Precio que pagaste	400 000 dólares
Términos de la hipoteca	20 años
Tasa de interés	7%
Aumento de valor/año	6%

Periodo	Valor de la propiedad	Cantidad restante de hipoteca
5 años	539 540 dólares	343 927 dólares
10 años	727 759 dólares	240 976 dólares
20 años	1 324 082 dólares	0 dólares
30 años	2 409 030 dólares	0 dólares

Propiedad 3	Tu segunda propiedad de inversión
Precio que pagaste	500 000 dólares
Términos de la hipoteca	20 años
Tasa de interés	7%
Aumento de valor/año	6%

Periodo	Valor de la propiedad	Cantidad restante de hipoteca
5 años	674 425 dólares	429 922 dólares
10 años	909 698 dólares	331 939 dólares
20 años	1 655 102 dólares	0 dólares
30 años	3 011 288 dólares	0 dólares

TRES PROPIEDADES Y ESTÁS LISTO: IDIOTA RICO, REVISA ESOS NÚMEROS

Trato	20 años	30 años
1	993 061 dólares	1 806 773 dólares
2	1 324 082 dólares	2 409 030 dólares
3	1 655 102 dólares	3 011 288 dólares
TOTAL	3 972 245 dólares	7 227 091 dólares

¡Felicidades! ¡Eres millonario y eres un idiota rico! Permíteme añadir solamente unas palabras sobre los números que usé en estos tres ejemplos. Los elegí para ilustrar mi punto de que lo único que se necesita son tres propiedades. Puedes sustituirlos con otros números. Por ejemplo, si tu casa cuesta 150 000 dólares, tu segunda propiedad cuesta 175 000 dólares y tu tercera propiedad cuesta 290 000 dólares, tu resultado puede ser diferente. De manera similar, si tu casa costó 450 000 dólares, tu segunda propiedad costó 280 000 dólares y la tercera fue de 420 000 dólares, esos resultados serán diferentes. Para una forma rápida y simple de calcular exactamente cuál será tu resultado final, consulta mi página de Internet, www.GetRichWithRobert. com y usa las tablas de amortización y aumento de precios que ahí se proporcionan.

TRES PROPIEDADES A TRAVÉS DEL MICROSCOPIO DEL DINERO

Echemos un visazo más de cerca a esas tres propiedades y veamos cómo funcionan los tratos.

Propiedad 1: Tu propia casa

Si ya eres dueño de tu casa, date una palmadita en la espalda. Has adquirido tu primer activo de bienes raíces. Has hecho un trato. Has aprendido a negociar y a hacer una oferta. Has aplicado y te han concedido una hipoteca. Has lidiado exitosamente con contratos, acuerdos de compra y documentos de cierre. Has cerrado el trato por tu primera propiedad. Estás a un tercio del camino de convertirte en idiota rico. Y ahora eres elegible para recibir deducciones de impuestos tanto por la depreciación de tu propiedad como ganancias de capital libres de impuesto (hasta 250 000 dólares si eres soltero y hasta 500 000 dólares si se trata de una pareja) en el aumento de precio de tu propiedad. Puedes sentarte un momento y darte un pequeño descanso.

> ¡Recuerda!
> Prácticamente toda instancia de préstamos en Estados Unidos tiene un programa para quienes compran una casa por primera vez.

Si estás rentando la propiedad de alguien más, lo primero que tienes que hacer es detenerte y comprar tu propia casa. Los idiotas ricos no rentan. Los idiotas ricos son dueños. La renta, como ya sabes, no es un activo. Es un pasivo. Y al final del año de contrato lo único que tienes es doce cheques cancelados. Cierto, has tenido un techo bajo el cual vivir, pero es el techo de otra persona. Ella es dueña del activo, no tú. Ella obtiene el beneficio fiscal por depreciación, no tú. Ella obtiene el beneficio fiscal por aumento de precio, no tú. Ella obtiene por lo menos 6 por ciento de incremento de equidad cada año a medida que el valor aumenta, no tú. Ella obtiene todo esto y no está pagando por ello, ¡quien está pagando eres tú! ¡Tonto! Cada mes que mandas un cheque de renta te alejas más y más de convertirte en un idiota rico, mientras que tu casero se acerca más y más. Es tiempo de cambiar las cosas. Por supuesto, hay razones para rentar, si estás planeando mudarte en menos de un año.

Está bien, aquí viene. En este momento puedo escuchar las protestas de quienes rentan: "Pero, Robert, no tengo dinero para un enganche". O bien: "Robert, tengo un pésimo crédito". O bien: "Robert, no tengo trabajo, ¿cómo voy a hacer los pagos?" Pobre de ti. Mientras estés en mitad de tu fiesta de piedad, no puedo ayudarte. En el minuto en que decidas convertirte en dueño de una casa es el minuto en que darás tu primer paso hacia el dinero real. Así que supera todas las excusas y entiende lo siguiente: hay docenas de maneras de obtener tu primera casa sin usar ni un centavo de tu propio dinero y teniendo el peor crédito del mundo. Revisa los recursos en mi sitio de Internet, www.GetRich WithRobert.com.

Por cierto, si logras conseguir tu primera casa usando DOP (dinero de otras personas), felicítate, porque acabas de aprender una de las lecciones más importantes para crear riqueza. Al usar Dinero de Otras Personas no arriesgas el tuyo (olvídate del hecho de que quizá no tienes ningún dinero que arriesgar) y cuando vendes o refinancias tu casa comprada con dinero de otras personas tu tasa de ganancia es infinita. ¿Confundido? No lo estés. Es simple.

Como he dicho, los idiotas ricos piensan en la deuda como una herramienta. Digamos que inviertes 100 000 dólares en efectivo para tu propiedad de bienes raíces. Y, cada año, esos 100 000 aumentan de valor un 10 por ciento, o 10 000 dólares. Acabas de obtener un 10 por ciento de ganancia sobre tu inversión.

Ahora échale un vistazo a la misma inversión en bienes raíces si la compraras enteramente con dinero de otras personas.

Digamos que tú no pones ni un centavo propio y un prestamista privado o un socio pone la cantidad completa o te permite usar su crédito. También digamos que la tasa hipotecaria que obtuviste fue de 7 por ciento. Si lo mantenemos realmente simple (puedes usar tablas más exactas) puedes ver que 100 000 dólares te están costando 7 000 dólares al año. Pero tu propiedad podría estar aumentando de valor un 10 por ciento al año, o 10 000 dólares. ¿Cuál es tu ganancia? Es de 3 000 dólares al año. ¿Cuál es tu ganancia sobre la inversión? Es infinita. No usaste ni un centavo de tu dinero, ¡así que la ganancia generada representa la mejor tasa de ganancia posible!

Y como un bono para pensar como un idiota rico, obtienes todos los beneficios fiscales del propietario de una casa. Como podrás recordar, esto se denomina apalancamiento y es la forma en que los idiotas ricos adquieren activos.

Por cierto, no pienses que puedes comprar sólo propiedades malas de esta forma. No es cierto. Puedes comprar cualquier tipo de propiedad sin ningún capital propio, desde pequeñas casas modestas hasta propiedades lujosas que cuestan millones de dólares... y más.

Así que no te preocupes si no tienes dinero para tu primera propiedad de bienes raíces, sé feliz. Sal a conseguir tu primer trato de bienes raíces hoy.

Propiedad 2: Tu primera propiedad de inversión

Ahora que tienes lista la propiedad 1, lo único que necesitas es conseguir otras dos. La propiedad 2 será tu primer activo que genere ingreso de renta. Puede ser una casa para una sola familia o un dúplex pequeño. Deberías comprar esta propiedad dos años después de haber cerrado tu primer trato.

Lo primero que quiero que hagas es que te relajes y dejes de pensar. Sé lo que hay en tu cabeza. Prácticamente puedo escuchar el guión del LCQ desde aquí. El ruido es ensordecedor. "Robert, en realidad no necesito otra casa. Estoy cómodo teniendo sólo esta. Es manejable. No tengo tiempo para buscar otro trato. No quiero el estrés de convertirme en casero. No quiero lidiar con llamadas a media noche para que me digan 'mi baño está inundado'. No quiero preocuparme por encontrar un buen inquilino. No quiero perder el sueño por inquilinos que dejan de pagar la renta, bla, bla, bla."

Escucha. Cada uno de esos pensamientos refleja la mentalidad LCQ.

Estás pensando que todo lo tienes que hacer tú solo, ¿verdad? Cálmate y simplemente recuerda tu primer trato. Un agente de bienes raíces buscó la propiedad por ti. Un banquero arregló el financiamiento. Un abogado revisó los contratos. Una empresa de escrituración completó el cierre del trato. No estuviste solo cuando hiciste tu primer trato. ¿Adivina qué?

Tampoco estarás solo cuando hagas el segundo. Puedes usar a un agente de bienes raíces para que te ayude a encontrar una excelente propiedad de inversión. Tu banco arreglará el financiamiento. Tu abogado revisará los contratos y tu empresa de escrituración cerrará el trato. Tu equipo de ensueño original sigue funcionando y trabajando para ti. Las únicas sumas que necesitarás hacer al equipo de ensueño con la adquisición de tu segundo activo de bienes raíces es un buen contratista o mil usos para que se encargue de las reparaciones y un administrador de propiedades de medio tiempo para manejar las rentas y a los inquilinos. Simplemente pide a los miembros de tu club local de inversión en bienes raíces o a tu agente de bienes raíces que te recomienden a alguien. Si te preocupa lo mucho que te costarán esas personas, aquí tienes algunas guías. Por lo general, esos honorarios son negociables. La administración de propiedades va del 8 al 10 por ciento, un mil usos o alguien que cobre la renta por lo general cobra una tasa básica por hora. Muchos inversionistas encuentran una buena ayuda en sus inquilinos. A menudo un inquilino puede encargarse de dar mantenimiento básico, reparar y cobrar las rentas a cambio de una reducción en su propia renta.

Deja de preocuparte y vuelve a leer el capítulo 5, sobre el poder de otras personas.

En cambio, vamos a concentrarnos en los números. ¿Cuánto pagarías por un segundo trato? Hay una fórmula muy sencilla. El costo de tu adquisición debería ser igual o menor (yo prefiero menor) que el ingreso. Vamos a darle vuelta a eso y a verlo del otro lado. Los costos estándar son el pago de la hipoteca, el seguro y los impuestos. También necesitas tomar en cuenta aproximadamente de 8 a 10 por ciento para un administrador de propiedades, 10 por ciento para cuando la propiedad esté vacía, en caso de que no rentes tan rápido como quisieras la propiedad y permitirte un poco de tiempo entre un inquilino y otro para entrar, pintar y hacer las reparaciones y mejoras necesarias, como 15 por ciento para reparaciones dependiendo de la edad y condición de la propiedad. Esas cifras pueden funcionar mensual o anualmente. Como idiota rico, a mí me gusta mantener las cosas muy simples, así que calculo todo por mes. La regla es no tener flujo de efectivo negativo.

Pongamos algunos números de muestra para que puedas ver exactamente a qué me refiero.

Propiedad 2

Precio de compra	150 000 dólares
Tasa de hipoteca	7%
Pago de hipoteca	1 620 dólares al mes
Seguro	50 dólares al mes
Impuesto	200 dólares al mes
Tasa de no ocupación	10%
Administrador de propiedades	8-10 por ciento
Reparaciones	15%
COSTOS TOTALES	2 106 dólares al mes

Tu costo total es de 2 106 dólares al mes. Eso significa que necesitas encontrar un inquilino que te pague por lo menos 2 106 dólares al mes. Si tu compra de 150 000 dólares es un dúplex, cada unidad debería rentarse por lo menos en 1 053 dólares al mes. Recuerda, mantenlo simple. Todos los bienes raíces son lo que entra cada mes y lo que sale. Así que asegúrate de revisar dos o tres veces todos los ingresos y todos los gastos antes de invertir.

Financiar tu primera propiedad de inversión por lo general sigue las mismas reglas que financiar tu primera propiedad, tu casa. Intenta usar el dinero de otras personas lo más posible y revisa los números para asegurarte de no haber cometido errores al calcular el dinero que sale. También, asegúrate de que el ingreso de rentas que necesitas sea realista para tu área. Esto puede determinarse con una rápida llamada telefónica a una compañía de rentas o con un simple vistazo a tu periódico local. Una vez que hayas revisado tus números, sal y compra la propiedad 2, tu primera propiedad de inversión.

Propiedad 3: Tu segunda y última propiedad de inversión (pero no tienes que detenerte aquí)

Se trata de tu tercera y última adquisición de activos de bienes raíces. Debería tratarse de una unidad de renta más grande, un edificio con cuatro departamentos, seis departamentos o más. Deberías comprarla tres años después de haber comprado tu primera propiedad.

De nuevo estoy escuchando el pánico. Pero simplemente es más de lo mismo que ya has hecho dos veces, con éxito.

Todo es lo mismo. La única diferencia puede ser tu financiamiento. Cuando buscas dinero para la hipoteca de propiedades que contienen más de seis unidades, caes en la categoría de préstamo comercial. De hecho, esta categoría puede ser mejor, porque los prestamistas ahora cambian su enfoque. Dejan de revisarte a ti y el valor de tu crédito y se concentran en la propiedad y en su valor real. Desde un punto de vista de riesgo, es una excelente noticia para ti. Cuando obtienes la aprobación para una hipoteca de una propiedad más grande, puedes estar seguro de que el prestamista ha revisado y vuelto a revisar el valor, aumento de valor, ingreso potencial y valor de reventa de la propiedad. Y cuanto más confiado esté el prestamista en el trato, menos riesgo tienes tú.

Hagamos algunas cuentas para el trato 3 y veamos exactamente cómo funciona. Recuerda, los números que estoy usando son sólo ejemplos, así que, cuando encuentres una propiedad que te guste, asegúrate de seguir el mismo proceso.

Propiedad 3

Precio de compra	300 000 dólares
Tasa de hipoteca	7%
Pago de hipoteca	2 325 dólares al mes
Seguro	75 dólares al mes
Impuesto	300 dólares al mes
Tasa de no ocupación	10%
Administrador de propiedades	8-10 por ciento
Reparaciones	15%
COSTOS TOTALES	3 510 dólares al mes

Tus costos totales son de 3 510 dólares al mes. Eso significa que necesitas encontrar personas que en conjunto te paguen por lo menos 3 510 dólares al mes. Si tienes seis inquilinos, cada unidad debería rentarse por 585 dólares al mes o más.

¡ESTÁS LISTO!

Listo. Acabas de hacer tus tres tratos. Eso es todo lo que tienes que hacer para convertirte en un idiota rico. Por supuesto, si eres como la mayoría de los idiotas ricos, una vez que comiences vas a querer seguir. ¿Por qué detenerse con tres activos de bienes raíces? ¿Por qué no cuatro, cinco, diez, cien o más? No hay razón alguna. Porque con cada trato que hagas, aprenderás más, te volverás más seguro, aumentarás tu riqueza y alcanzarás tu vida perfecta de idiota rico mucho más rápido.

Pirámide de activos de bienes raíces

Hay una amplia variedad de propiedades que puedes comprar. Por cuestiones de la discusión me gusta distribuirlas en forma de pirámide.

Casas para una sola familia

Ésta es la categoría más grande y constituye la base de mi pirámide. Esas casas por lo general tienen dos o tres dormitorios y se encuentran en un rango de precio moderado.

Las ventajas de este tipo de casas es que son relativamente fáciles de comprar y vender en cualquier tipo de mercado y siempre hay mercado de rentas con muchos inquilinos disponibles. Incluso en un mercado bajo esta clasificación de casas para una sola familia parece vender bien e incluso disfruta de un poco de aumento de valor si se encuentran ubicadas en el área correcta.

La desventaja principal es que puede que necesiten más administración. Por ejemplo, puede que te encuentres con cinco casas con cinco inquilinos en cinco vecindarios diferentes y en zonas distintas.

Casas de dos, tres y cuatro unidades

En el segundo nivel de nuestra pirámide de activos de bienes raíces se encuentran las casas de dos, tres y cuatro unidades, todas clasificadas como propiedades de renta.

Las ventajas son que los prestamistas hipotecarios consideran que las propiedades de hasta cuatro unidades son "residenciales" y en consecuencia aplican menos requerimientos para los préstamos. De hecho, en muchas instancias puedes obtener un financiamiento del 100 por ciento para este tipo de unidades. La otra ventaja de ser dueño de este tipo de propiedades es que proporcionan algunas economías de escala, con dos, tres o cuatro inquilinos en el mismo edificio.

Las desventajas se revelan cuando quieres vender una propiedad de este tipo. Los únicos compradores serán otros inversionistas, así que tu mercado es un poco más pequeño.

Edificios de departamentos pequeños a medianos

El tercer nivel de pirámide está compuesto por edificios de departamentos pequeños a medianos. Estos edificios contienen desde diez hasta 150 unidades.

Las ventajas son que hay más flujo de efectivo porque hay una base de inquilinos más amplia, el potencial de mejores economías de escala e incluso el contar con un administrador de propiedades de tiempo completo. Los prestamistas también reducirán tu riesgo de inversión porque revisan la propiedad para ver su ingreso potencial antes de prestarte los fondos. Y, por último, los prestamistas pueden pedir una cantidad tan baja como 20 por ciento de enganche por una propiedad que proporciona un flujo de efectivo cómodo.

Una desventaja es que tendrás que dar un enganche mayor, hasta el 20 por ciento para obtener un buen financiamiento. Además, necesitarás un mayor colchón que te permita cubrir las unidades desocupadas. Y, de nuevo, si decides vender, tus únicos compradores provendrán de un grupo más pequeño de inversionistas sofisticados.

Propiedad comercial

En la cima de la pirámide de bienes raíces se encuentra la propiedad comercial, la cual incluye complejos de departamentos grandes, edificios de oficinas, centros comerciales y bodegas.

Una gran ventaja de tener estos activos de bienes raíces es que serás capaz de negociar contratos donde los inquilinos (particularmente inquilinos corporativos) sean responsables de gran parte de la administración y las reparaciones de la propiedad. Además, la propiedad por lo general proporciona buen flujo de efectivo y puede sostener el costo de una administración de tiempo completo.

Las desventajas son que, una vez más, es probable que tu único comprador sea otro inversionista y en caso de perder un inquilino importante (uno que tenga varios pisos para oficinas o un inquilino de base para el centro comercial) la propiedad puede permanecer vacía durante más tiempo. Esto crea una necesidad de contar con un colchón de efectivo mayor para mantener la propiedad varios meses o incluso años.

¿QUÉ ES UN BUEN TRATO?

Para un idiota rico no hay distinción entre distintos tipos de inversión en bienes raíces. Ya sea que te concentres en casas para una sola familia, edificios de departamentos o propiedades comerciales, siempre es cuestión de números. Todo es cuestión de números. Si los números funcionan, tienes un buen trato. Si los números no funcionan, no. Un buen trato significa encontrar un vendedor motivado que esté dispuesto a permitirte tener la propiedad a un 20 o 50 por ciento menos del valor de mercado actual. Esos tratos existen, pero la mayoría de las personas no están dispuestas a salir a buscarlos.

LAS REGLAS DE ROBERT DE LOS BIENES RAÍCES
DE LOS IDIOTAS RICOS

Aquí tienes algunas reglas rápidas y simples que puedes seguir a medida que comiences a adquirir tus propios activos de bienes raíces. Esas reglas son el resultado de mis propios años de experiencia como inversionista en bienes raíces y de la experiencia combinada de las miles de personas como tú que se convirtieron en idiotas ricos al seguir dichas reglas.

Regla de Robert número 1: Fija una meta de inversión en bienes raíces

Hay tres tipos de metas para la inversión en bienes raíces: a corto, mediano y largo plazo. Vamos a echar un rápido vistazo para determinar cuál te queda mejor.

Meta a corto plazo: Quiero entrar y salir de una propiedad rápido. Necesito efectivo en los siguientes treinta, sesenta o noventa días. Quiero pagar algunas cuentas. Quiero hacer un viaje. Quiero o necesito efectivo rápido. Necesito dinero para invertir en algo más.

Estrategia a corto plazo: Venta completa de una propiedad. Cómprala y luego véndela a otro inversionista para ganar algo de dinero con la transacción.

Meta a mediano plazo: Mi periodo para comprar y vender una propiedad es de tres a dieciocho meses.

Estrategia a mediano plazo: Vas a arreglar y a conservar una propiedad o incluso rentarla durante un breve periodo. Estás en un mercado que sube de precio bien y/o compras la propiedad con un gran descuento y puedes hacer dinero al venderla o refinanciarla después de un año.

Meta a largo plazo: Compraste una propiedad que vas a mantener durante tres a cinco años o más.

Estrategia a largo plazo: Casi siempre se trata de tu casa o de una propiedad que rentas. Planeas conservarla y esperar hasta que aumente de precio, los inquilinos pagan el costo de tu inversión o ambas. Al final de tu largo plazo, decidirás si vendes o refinancias la propiedad.

¿Cuál es la meta y la estrategia adecuadas para ti? Yo recomiendo el simple escenario de "tres propiedades y listo", que tratamos antes en este capítulo. Compras tres propiedades en un periodo de uno a tres años, las conservas y luego las vendes o las refinancias. Ése es tu mejor plan de bienes raíces de idiota rico.

Regla de Robert número 2: Compra a vendedores motivados

En los círculos de los bienes raíces, se dice que haces dinero no cuando vendes una propiedad sino cuando la compras. Cuanto mejor sea el trato que puedes conseguir al momento de la compra, mayores serán tus ganancias y tu repartición entre gastos e ingreso por renta y mayor será tu equidad. Una de las mejores formas de asegurar que compres tus propiedades a precios de idiota rico es comprarlas a vendedores motivados.

Ahora, cuando digo "vendedores motivados", quiero ser muy, muy claro. No estoy hablando de ser injusto o aprovecharte de la gente. Estoy hablando de comprar a personas que tienen que vender por un divorcio, una mudanza inesperada, incluso un problema económico, pero estructurando el trato de modo que ambas partes ganen.

Un estudiante mío (vamos a llamarlo Jim) contó esta excelente historia sobre un vendedor motivado en uno de mis seminarios y me gustaría compartirla contigo.

Jim es un inversionista de veintiún años a quien le gusta comprar, arreglar y volver a vender casas. Un día estaba trabajando en una propiedad cuando dio una vuelta equivocada y terminó en una calle cercana. Notó una gran propiedad que estaba siendo anunciada. Investigó un poco y, cuando fue a la parte de atrás, encontró a la dueña, una mujer que estaba viviendo en una casa de huéspedes cerca de la propiedad. Se pusieron a hablar y resultó que estaba en mitad de un divorcio feo y no había hecho ningún pago de la casa durante seis meses. He ahí una vendedora realmente motivada. Jim, como yo, siempre cree en un trato ganar-ganar para ambas partes. Dijo: "Permítame comprar su casa, sacarla de sus deudas y poner algo de dinero en su bolsillo". Ella estuvo de acuerdo. La propiedad, cuando estuvo arreglada, valía 1.7 millones de dólares. Jim la compró por 1.3 millones. Gastó 50 000 dólares en reparaciones y mejoras. Le tomó cuarenta y cinco días renovarla, otras tres semanas venderla y quince días cerrar el trato. Costo total: 1 350 000 dólares. Tiempo total invertido: ochenta y un días. ¿En cuánto se vendió la propiedad? Como ya dije, en 1 700 000 dólares. ¿Cuánto dinero ganó Jim en ochenta y un días? 350 000 dólares. Nada mal para unas cuantas semanas de trabajo.

¿Dónde encuentras vendedores motivados? En primer lugar, busca en tu periódico local a ver si hay anuncios que indiquen que el vendedor está motivado a vender. Después, contacta agentes de bienes raíces locales para ver si tienen algún cliente que esté dispuesto a bajar el precio que pide a cambio de una venta rápida o en efectivo. En tercer lugar, comienza a asistir a las juntas de tu club o asociación local de inversión y habla con otros inversionistas. A menudo una propiedad puede no ser buena para un inversionista por cuestión de tiempo, geografía o alguna otra razón, pero puede resultar perfecta para ti. Compartir e intercambiar información es lo que los idiotas ricos hacen para ayudarse entre sí a volverse aún más ricos.

Regla de Robert número 3: Usa la menor cantidad posible de dinero propio

Socios de dinero o de crédito
Usa el dinero de otras personas, la mayor cantidad que puedas conseguir.

Este concepto en particular les resulta muy difícil entender y aceptar a los LCQ. Permíteme contarte una historia que lo confirma. Yo tenía veintitantos años. Reuní el valor de comprar mi primera propiedad. Me puse un par de pantalones de mezclilla limpios y fui al banco. Ahora, recuerda, yo provenía de un hogar en el que si no tenías dinero para algo simplemente no lo comprabas. No había tarjetas de crédito. No había préstamos. Sólo había efectivo. Tal vez muchos de ustedes también provengan del mismo tipo de entorno. Imagíname, un niño, sentado en el banco solicitando mi primer crédito. Pero me sentía confiado, a pesar de no tener nada de dinero. Pensé que tenía un crédito realmente bueno. ¿Adivina qué? Me equivoqué. La funcionaria de préstamos escribió mi número de seguro social, vio la pantalla de la computadora, se volvió hacia mí y dijo: "Lo siento, usted no califica para un préstamo".

"Espere un minuto", protesté, "no tengo ninguna tarjeta de crédito, ni préstamos, ni deudas".

"Ése es el problema", explicó. "No tiene ningún historial crediticio, así que no se le puede dar crédito."

Ésa fue una verdadera llamada de atención. ¿Cómo iba a lograr reunir los fondos para mi primera compra? Bueno, pensé que si los bancos no me iban a prestar dinero, tendría que encontrar a alguien más que lo hiciera. Y así fue.

Ahora, aquí está la parte que distingue a los idiotas ricos de los LCQ. Mi nuevo socio del dinero dijo: "Se ve muy bien, Robert. Te prestaré el dinero que necesitas, pero cuando vendas la propiedad, quiero la mitad". Me tomó un segundo pensar que la mitad de un activo era mejor que no tener nada. Acepté sus términos y la propiedad.

Unos meses después la vendí y dividí el dinero con mi socio como habíamos acordado. ¿Cuánto me tocó? Alrededor de 20 000 dólares. Nada mal para un chico sin dinero, sin crédito y sin experiencia.

Una amiga mía cuenta una historia similar. Tenía veintitantos años y se acababa de graduar de la universidad. Pero sabía que no se iba a hacer rica con un empleo. Así que pasó dos semanas buscando una casa. Esto fue hace muchos años, cuando los precios eran mucho más bajos. Encontró una casa que sabía que podía arreglar y revender. El precio que le dieron fue de 62 500 dólares. El dueño estaba dispuesto a aceptar un enganche de apenas el 5 por ciento, o 3 100 dólares. Bien podían haber sido 3 millones. Lo más que pudo reunir fueron 600 dólares.

Pero fue creativa. Se acercó a seis de sus hermanas de fraternidad y las convenció de poner cada una 500 dólares para llevarse un 50 por ciento de participación en las ganancias. Ella puso 100 dólares y guardó sus 500 para los arreglos necesarios.

No lo sabía en ese entonces, pero había formado un sindicato. Bueno, esta historia tiene un final feliz. Compró la propiedad. La arregló y la vendió sesenta días después en 84 500 dólares. Ganó 22 000 dólares. Devolvió la inversión inicial a sus socias así como 11 000 dólares para que se los repartieran. Ella se quedó con 11 000 dólares. ¡Nada mal por dos meses de trabajo!

Con demasiada frecuencia hablo con personas que, después de encontrar una propiedad y verse rechazadas por prestamistas tradicionales, reciben una segunda oportunidad de un socio que quiere la mitad del pastel. ¿Y qué hacen esos LCQ? Se alejan, por lo general murmurando entre dientes lo terrible que es "la avaricia de algunas personas". Dejan el dinero sobre la mesa. Dejan huérfano un activo. ¿Quién termina lastimado? El que quiere ser idiota rico. Sin dinero. Sin trato. Sin activo. Sin cerebro.

¿Cuál es mi consejo? Si tienes un trato excelente, agradece que haya un socio dispuesto a permitirte usar su dinero o su crédito. Haz las cuentas de los idiotas ricos. La mitad es mejor que nada. ¿Entendiste?

Estrategias de contratos con opción a compra y contratos de compra

El contrato con opción a compra y su primo cercano, el contrato de compra, son otras dos estrategias exitosas. Así es como funciona un contrato con opción a compra.

Un contrato con opción a compra es en parte un contrato de renta, en parte una estrategia de financiamiento creativo. Buscas una propiedad, por lo general con un vendedor motivado, y firmas un contrato por un término de uno a dos años, o más tiempo si es posible. Como parte del acuerdo de arrendamiento hay una cláusula que otorga la opción de comprar la propiedad durante el término del periodo de renta por un precio previamente acordado. Pero no tienes que comprar si decides que no quieres hacerlo.

¿Por qué éste es un buen trato para un idiota rico principiante como tú? No necesitas efectivo de adelanto y puedes obtener un buen precio de compra mientras aprovechas la ola del aumento de precio. Así que si decides ejercer tu opción y comprar la propiedad, probablemente ya haya aumentado su valor y tú automáticamente tendrás una mejor equidad. Hay otra ventaja maravillosa: a menudo pagas un poco más de renta, pero ese extra va directo a tu enganche si decides comprar y ahí se queda. Así que aquí ya casi tienes una especie de "programa forzado de inversión en activos".

A los vendedores también les gusta esta forma de vender su propiedad porque tienen un ingreso por renta y un excelente inquilino que va a cuidar muy bien la propiedad, puesto que espera comprarla.

Un contrato de compra es muy similar salvo que debes comprar la propiedad al precio acordado al final del término del contrato.

La regla número 4 de Robert: Crea un equipo de ensueño para bienes raíces

No puedo enfatizarlo lo suficiente: *No* estás solo. Una vez más, en caso de que no me hayas escuchado la primera vez: *No* estás solo. Y si lo estás, no eres un idiota rico, sino un LCQ.

Los idiotas ricos, como ya sabes, se vuelven exitosos a través del poder O. P. (el poder, tiempo, habilidades, información e ideas de otras personas.) Adquirir tus primeros activos de bienes raíces es una de las mejores maneras de comenzar a construir y refinar tu propio equipo de ensueño. "Pero, Robert, ¿dónde voy a encontrar a esas personas?", preguntas. Simple. De la misma manera en que encontraste a todo el mundo: a través de recomendaciones. Pregunta a la gente. ¿Ves esa reunión de inversionistas en bienes raíces a la que vas a asistir? Es un excelente sitio para encontrar al equipo de tus sueños. ¿Ves ese agente de bienes raíces que no deja de llamarte? Otra excelente fuente a quien pedirle recomendaciones para el equipo de tus sueños. Entiendes la idea, ¿verdad?

Ahora, ¿cuáles son elementos esenciales de un equipo de ensueño?

1. Uno o dos agentes de bienes raíces. Ten cuidado. No todos los agentes de bienes raíces entienden o tienen experiencia trabajando con inversionistas. Investiga a tus prospectos de agentes. Asegúrate de que tengan un registro positivo, de que entiendan tratos creativos y, lo mejor de todo, tengan un par de propiedades de inversión propias.

2. Una buena empresa de escrituras o depósitos. Son las personas que hacen todos los cierres y son un recurso estupendo. Pueden hacer que las cosas transcurran con tranquilidad, pueden quitar cualquier arruga y protegerte a ti y a tus activos.

3. Un abogado de bienes raíces. No, tu primo no va a hacer el trabajo, a menos que esté especializado en bienes raíces. Necesitas a alguien que entienda la inversión en bienes raíces y no rompa acuerdos. Busca al mejor que puedas pagar. Nunca lo lamentarás.

4. Un banquero hipotecario puede ser un socio muy valioso en tu estrategia para adquirir activos de bienes raíces. Se trata de la persona del dinero. Busca algunos buenos. Gánate su confianza. Pide su consejo. Mantenlos en tu equipo.

5. Un contador que "lo entienda". Busca uno que trabaje con inversionistas en bienes raíces y entienda todos los beneficios fiscales que conllevan.

Ése es tu equipo de ensueños básico. A medida que adquieras más propiedades y tengas más inquilinos, puede que quieras agregar un contratista, un mil usos y una empresa que se dedique a administrar propiedades.

Regla de Robert número 5: Haz muchas, muchas ofertas

En realidad, ahora que lo pienso, ésta probablemente debería ser la regla número I, porque hasta que no hagas una oferta, seguirás siendo un LCQ. En el minuto en que hagas tu primera oferta, te habrás convertido (por lo menos potencialmente) en un idiota rico. Cuantas más ofertas hagas, mejor idiota rico serás. Después de que hayas hecho toda tu tarea, por supuesto. Luego de que hayas fijado tus metas, reunido a tu equipo de ensueño y encontrado compradores motivados. Entonces sólo queda una cosa por hacer: haz una oferta. Haz un trato. Compra una propiedad. ¿Qué estás esperando? Deja de leer sobre convertirte en idiota rico... ¡sal, haz esa oferta y conviértete en idiota rico!

> ¡Recuerda!
> Cuantas más ofertas hagas, más rico serás.

LA SIGUIENTE COSA MUY IMPORTANTE EN LOS BIENES RAÍCES

Una de las características de los idiotas ricos es su pasión por descubrir "la siguiente cosa importante". Bueno, la siguiente cosa importante en los bienes raíces no es real en absoluto... es virtual. "¿Cómo?", dices. "¿Qué quieres decir, Robert?" ¿Estás sentado? Esto te va a sorprender.

El Internet rápidamente se está convirtiendo en uno de los mercados de bienes raíces de crecimiento más rápido, a través de sitios que permiten a los usuarios comprar y vender bienes raíces. Los bienes raíces son virtuales, pero el dinero que ganan esos idiotas ricos es real. Unos cuantos "*clicks*" han dado riqueza de bienes raíces a miles de personas. Una mujer convirtió 10 dólares en un imperio de bienes raíces de un millón de dólares. Otros están haciendo ganancias impresionantes al comprar, vender y desarrollar bienes raíces en mundos virtuales como Second Life, Weblo y Entropía.

Mortgage News Daily reporta: "Second Life no proporciona información sobre cuántos de sus 6.5 millones de residentes [ahora más de 10 millones] poseen bienes raíces... Los residentes pueden estar motivados a adquirir terrenos para establecer negocios y... los residentes están ganando dinero real mes con mes al proporcionar bienes y servicios de sus oficinas virtuales y tiendas".

Me encanta todo este concepto virtual y creo que va a ser la siguiente gran ola para los empresarios vía Internet. De hecho, ven a visitarme a mi propia isla de idiota rico en Second Life. Tendrás la oportunidad de ver por ti mismo cómo pueden funcionar para ti los bienes raíces virtuales.

Aquí tienes algunas formas en que otros idiotas ricos han hecho dinero real en la nueva fiebre de la tierra virtual de bienes raíces y cómo puedes lograrlo tú también.

1.   Conviértete en un magnate de los bienes raíces virtuales. Anshe Cheng convirtió una modesta inversión de 10 dólares en un imperio de bienes raíces de millones de dólares y se con-

virtió en la primera millonaria del mundo virtual de los bienes raíces en menos de cuarenta y ocho meses a través de Second Life, uno de los mundos virtuales de más rápido crecimiento, con más de 7 millones de miembros. Su notable historia llegó a ser portada de *Business Week*.

2. Conviértete en un agente de bienes raíces virtuales, o cómprale a uno.

Coldwell Banker es la primera empresa importante de bienes raíces en abrir un desarrollo virtual, completo con agentes de bienes raíces virtuales (llamados avatares), paseos en helicóptero a propiedades disponibles y bonos para muebles gratis al momento del cierre del trato. La firma de bienes raíces tiene un inventario de quinientas casas en la sección Ranchero de Second Life, uno de los desarrollos de viviendas más grandes del mundo virtual.

3. Compra tu propio país, estado o ciudad.

Uno de los sitios más nuevos y de más rápido crecimiento en el mundo de los bienes raíces virtuales es Weblo. TransWorld-News reporta que: "Weblo es el único universo paralelo basado en propiedades, ciudades y estados reales. El sitio ha ocasionado un *boom* de los bienes raíces virtuales. California se vendió por 53 000 dólares. Florida se vendió por 18 047... ciudades y propiedades importantes en todo el mundo se han vendido y revendido por ganancias. El alcalde virtual de Seattle vendió su ciudad por 2 000 dólares después de haberla comprado en 40. Los miembros cambian propiedades virtuales del mismo modo en que lo hacen en el mundo real". Un agente de bienes raíces del mundo real tiene más de setecientas ciudades en Weblo, incluyendo Washington, D. C. y Lake Buena Vista en Florida (casa del Resort Mundial de Walt Disney). Courant.com reporta: "Él ha ganado cientos de dólares de sitios individuales… Un usuario compró Las Vegas por 38 dólares, construyó la página y la vendió por 430. Luego el comprador continuó el trabajo en el sitio y lo vendió por 2 300 dólares".

4.   Compra y vende bienes raíces internacionales.
Harcourt, una empresa de bienes raíces de Nueva Zelanda, compra terrenos y vende partes en el mundo virtual de Second Life, con ganancias calculadas en números de cinco cifras.

5.   Reventas de bienes raíces virtuales.
De acuerdo con las noticias de la BBC, el mercado de propiedades virtuales está floreciendo. "Un jugador que gastó 13 700 libras en una isla que existe sólo en un juego de computadora ha recuperado su inversión, de acuerdo con quienes desarrollaron el juego. El jugador de 23 años conocido como Deathifier recuperó el dinero en un año. La Isla del Tesoro virtual que compró existía dentro de un juego de rol en línea conocido como Project Entropia. CNET News.com reporta el caso de otro inversionista en bienes raíces de Project Entropia quien cree que puede obtener más de 1.6 millones de dólares al año en ganancias, todo por una sola inversión de 100 000 dólares".

6.   Apartamento de lujo y condominios en renta.
Los mundos virtuales tienen un mercado de reventa próspero en condominios virtuales y apartamentos de lujo, muchos de los cuales vienen con muebles terminados, lujos como albercas y vistas al mar, y se encuentran entre los mejores bienes raíces virtuales.

Para más información sobre bienes raíces virtuales, consulta "The Next Big Thing" en www.GetRichWithRobert.com.

EL RESUMEN DE ROBERT

Reales o virtuales, los bienes raíces son uno de los tres pilares de tu estrategia de adquisición de activos de idiota rico. ¡Así que sal y compra algo!

TU PLAN DE ACCIÓN PARA PONER TODO DE CABEZA DEL IDIOTA RICO

1. Escribe tus metas de bienes raíces.
2. Crea tu equipo de ensueño.
3. Haz una oferta hoy.

Invierte en acciones hoy

Un dólar recogido en el camino nos da más satisfacción
que los noventa y nueve por los que tuvimos que trabajar
y el dinero que ganamos en las cartas o en la bolsa funciona de la misma manera en nuestro corazón.

MARK TWAIN

EL ACTIVO CONOCIDO COMO ACCIÓN

Hemos hablado sobre activos y pasivos. De nuevo, los activos
son cosas que tienes o en las que inviertes, que por lo general
aumentan de valor y te dan riqueza con el tiempo. Las acciones
y bonos son uno de los cuatro grupos de activos que acumulan los idiotas ricos, junto con dinero en efectivo, bienes raíces
y negocios. Aquí, entonces, está el secreto del idiota rico para
poner de cabeza su mentalidad con el fin de invertir con éxito
en acciones y bonos.

No esperes hasta que hayas pagado todas tus deudas, hasta
que hayas creado una cuenta de ahorro, hasta que hayas aparta-
do dinero para la universidad y hayas limpiado la cochera.

Toma 100 dólares e inviértelos en tu primera compra de acciones, un fondo de inversión de 100 dólares. Hazlo hoy. Con esos primeros 100 dólares de compra habrás dado un paso gigantesco en el camino a convertirte en idiota rico.

¿Cuál es tu excusa para no convertirte en inversionista en este momento? ¿Eres como esas personas que se sientan a preguntarse qué acción comprar o cómo comenzar? "No tengo ni un centavo para empezar", dicen algunas de esas personas. "¿Cómo puedo comenzar a invertir en acciones cuando no tengo nada de ahorros y apenas logro llegar a fin de mes?"

¿O eres como muchas otras personas, que se sienten abrumadas por todos los términos y palabras financieras (rendimiento, sin rendimiento, cuenta de retiro individual, plan de jubilación con aportaciones no deducibles y retiros libres, etcétera) y temen actuar?

Por supuesto, con el tempo comienzas a prepararte y empiezas a sentirte cómodo con la terminología, así como con las opciones que tienes disponibles. Pero la falta de preparación no debería impedirte hacer tu primera inversión en acciones. Invertir en acciones de manera sistemática, regular, a largo plazo, te hará rico con el tiempo.

El idiota rico sabe que sólo hay una pregunta que vale la pena hacer y esa pregunta es: "¿Comenzaré a invertir hoy?" Si la respuesta es sí, ¡felicidades! ¡Estás en camino!

Reglas de Robert para invertir en acciones

Con el tiempo he desarrollado unas cuantas reglas seguras y las he seguido yo mismo con gran éxito. Ahora las comparto contigo. Son simples y fáciles de seguir, y funcionan. ¿Listo?

Regla número 1: Los perdedores esperan para elegir ganadores

No pienses ni por un momento que puedes ser más listo que los expertos o que la bolsa. Los idiotas ricos saben que hay gente en Wall Street que tiene millones de dólares invertidos en herramientas de análisis por computadora, reportes, tablas, gráficas e información. Ésos son los expertos. Rastrean acciones día y noche en los mercados globales. Y luego estás tú. Tal vez tú tengas el periódico, una computadora y el tip que el cocinero de tu restaurante de costumbre compartió contigo en el desayuno esta mañana. Olvídalo. Ahora, debes estar consciente de que todos queremos elegir un ganador. Todos hemos escuchado a algún amigo decir: "Oh, elegí esta acción y subió 400 por ciento en un año. ¿No es fantástico?" Pero necesitamos recordar que, justo como en Las Vegas, la gente siempre te cuenta sobre la vez en que ganó, pero nunca te cuenta sobre las ocho veces que perdió. Si tu pasatiempo consiste en elegir acciones medio tiempo, no vas a ser más listo que Wall Street. Punto.

Regla número 2: Comienza hoy mismo tu portafolio de inversión en acciones

No importa cuánto dinero tengas para invertir, 100 dólares te darán entrada a una docena de fondos de inversión. El secreto es hacerlo. Levantar el teléfono, entrar a Internet, abrir una cuenta, hacer la inversión. Hasta que en realidad lo hayas hecho, no eres un idiota rico, sino un LCQ.

Regla número 3: Invertir con regularidad puede hacerte rico

La inversión habitual en acciones con el tiempo puede hacerte rico. No invertir en acciones con el tiempo te dejará en el mismo lugar en donde estás o peor. Acostúmbrate a estar al pendiente de tu cuenta de acciones y enviar aunque sea el depósito mínimo cada mes. Verás lo rápido que crece y se multiplica tu inversión en acciones. Con el tiempo, probablemente te vaya bien, sin importar qué tipo de inversión hayas elegido.

Regla número 4: Usa el poder de O. P.
Deja que los profesionales lo hagan por ti

Lo que esto significa es que no elijas acciones individuales. Búscate un fondo de inversión o un fondo de administración financiera y permite que los profesionales elijan las acciones en tu lugar. Recuerda, los idiotas ricos usan el poder de otras personas. En ningún lado es más importante esto que en tu portafolio de acciones.

Regla número 5: Usa el poder de O. P.
Deja que los profesionales lo vuelvan a hacer por ti

Lo mismo es cierto para decidir en qué fondo de inversión vas a invertir. Aquí es donde sumas a un organizador financiero a tu equipo de ensueño y lo dejas guiarte. Él hará el análisis de tus recursos, pero, lo más importante, él hará un análisis psicológico para determinar tu perfil de riesgo. Él te ayudará a fijar una meta de inversión que se adapte a tus necesidades y a las de tu familia. Luego te guiará a los mejores vehículos de inversión que te den lo mejor. Sólo tengo una advertencia a este respecto: asegúrate

de determinar si tu asesor de inversiones es independiente o si
está asociado con una organización que venda fondos de inversión y otros productos financieros. No estoy diciendo que uno
es mejor que otro, pero necesitas estar consciente de los planes
escondidos que podría tener tu asesor.

Regla número 6: Nunca inviertas dinero que no puedas permitirte perder

Recuerda, el mercado de acciones puede hacer sólo tres cosas:
subir, bajar o mantenerse. Así que si invertir esos 100 dólares
significa que vas a perder tu casa en caso de perder tu dinero, no
inviertas.

Regla número 7: Invierte a largo plazo, no por dinero rápido

Tu estrategia, como la estrategia de inversión en activos de bienes raíces, es permitir que tus acciones maduren de modo que
puedan aumentar de valor con el tiempo y darte dinero. Necesitas ser capaz de mantener tu dinero en tus activos invertidos y
permitir que el tiempo haga su trabajo. Cada vez que un idiota
rico invierte en la bolsa, lo hace a largo plazo, para crear riqueza
con el tiempo, no lo hace por los siguientes noventa días, seis
meses o un año. Para un idiota rico, el largo plazo significa cinco años o más. Como dice Warren Buffett, el mejor inversionista: "Sólo compra algo que estarías feliz de conservar si la bolsa
cerrara durante diez años".

Regla número 8: Sé un inversionista conservador

Tengo una excelente historia para ilustrar este punto. Estaba en
entrenamiento en Goldman Sachs en Wall Street cuando un día

un caballero vino a hablar a nuestro salón de clases. Yo tenía aproximadamente 25 años y pensé: "Vaya, soy listo, voy a elegir acciones, voy a vencer a todo el mundo y voy a vencer al mercado". Era confiado y estaba listo para correr algunos riesgos importantes para demostrar lo listo que era. Pero este hombre dijo algo que me causó una impresión duradera y que cambió drásticamente mi propia estrategia de inversión en ese instante, un cambio que nunca he lamentado. Él tenía aproximadamente sesenta y cinco años, y era un inversionista multimillonario. (Esto sucedió hace unos años, cuando los multimillonarios eran pocos y escasos y cuando mil millones de dólares realmente significaban algo.) Fue cuando nos dijo a todos los jóvenes inexpertos: "Miren, muchos de ustedes son jóvenes en este momento. Piensan que son listos y piensan que saben mucho del tema, pero no es así. Cuando se vuelvan más viejos y más sabios por años de experiencia y vean todas las acciones que bajan y todos los riesgos y las apuestas que hace la gente, en algún punto en su carrera como inversionistas se volverán más conservadores. Así que bien pueden ser conservadores en este momento y ahorrarse treinta, cuarenta, cincuenta años de estrés y agravación por inversiones. Inviertan en acciones buenas y en compañías buenas. Háganlo a largo plazo, porque ninguna otra estrategia funciona tan bien."

¿Y saben qué? Ese tipo tenía mil millones de dólares y yo no. Así que como en ese entonces aspiraba a ser un idiota rico, decidí tomar su consejo. Me deshice de mis pequeñas acciones de centavos y de las acciones que alguien decía iban a ser estupendas, las cuales de cualquier forma ya habían bajado en su mayoría. Cambié mi estrategia de "hazte rico rápido y con riesgo" a "hazte rico de manera lenta y segura". Estaba ahí para el largo plazo. Quería construir activos como ese multimillonario. Y la estrategia me ha funcionado todos estos años.

Regla número 9: Evita los tips del momento: Se enfrían muy, muy rápido

Permíteme decirte qué fue lo que sucedió cuando mi buen amigo Rich me llamó para darme un tip del momento. Rich trabajaba en Wall Street y era uno de los jóvenes en la acción. Yo nunca escuchaba sus tips y debo admitir que siempre me quedaba con una sensación de cosquilleo de "y si hubiera" cada vez que decía que no. Excepto esta vez. Esa mañana Rich me llamó y dijo: "Robert, tienes que invertir en esto. Es una acción ganadora. Cuesta siete centavos cada acción, podrías comprar cincuenta mil acciones y ganar una fortuna". Yo no estaba del todo convencido. "¿De qué tipo de acción se trata? ¿De qué es la empresa? ¿Qué está haciendo la acción?, pregunté. "No importa", contestó Rich. "Sólo cómprala." Había algo muy insistente en la voz de Rich, así que esta vez invertí. Compré 50 000 acciones a 7 centavos cada una e hice un cheque por 3 500 dólares.

En días habían subido a 12 centavos, luego a 15 centavos y después a 30 centavos, de repente, estaban en 90 centavos.

Comencé a dudar. Acababa de ganar mucho dinero en tan sólo un par de semanas y eso me ponía nervioso. Llamé a Rich y le pregunté: "¿Qué debo hacer, conservar o vender?" Sin dudar, dijo: "Conserva las acciones. Van a subir a 1.20 cada una. Estoy seguro".

Esta vez no seguí el consejo de Rich. Me dio miedo y vendí cuando cada acción valía 90 centavos. Gané muy buen dinero. Fue fantástico. Mi inversión de 3 500 dólares se había convertido en 45 000 dólares en cuestión de unos días.

¿Y qué pasó con las acciones cuando me retiré? Por supuesto, al día siguiente subieron a 1.20 dólares justo como dijo Rich. Y luego se desplomaron. Cuando llegaron al punto más bajo se estaban vendiendo en 8 centavos cada una. Como ha dicho Ralph Seger, fundador de una de las empresas de comercio de acciones más exitosas de todos los tiempos: "Nunca puedes predecir cuándo el torpedo desconocido saldrá de la oscuridad y acabará con el precio de una acción".

Tuve suerte. Y aprendí mi lección. No más paseos en montaña rusa. Iba a tomar el camino multimillonario hacia la riqueza. La riqueza se forja de manera lenta y constante.

Regla número 10: Evita invertir en acciones que están empezando

La razón es ésta: 70 a 80 por ciento de las empresas que están empezando quiebran. Las acciones que están empezando no son para inversionistas idiotas ricos. Por lo general, el riesgo supera las recompensas y la mayoría de los idiotas ricos prefieren invertir, no apostar.

¡Advertencia!
Nunca inviertas en algo que no entiendas del todo.
Esto incluye todos los aspectos de la inversión que estés considerando.

Regla número 11: Usa la estrategia de asignación de activos para tu portafolio de acciones

En este contexto, asignación de activos significa no poner todas tus acciones en una sola canasta. No deberías invertir todo tu dinero para inversión en acciones en una sola industria o compañía; debes esparcir el riesgo. Si una de tus acciones fracasa o, peor, se desploma, puedes amortiguar el resultado negativo con el desempeño positivo de otras acciones que has comprado.

Permíteme contarte una historia sobre un amigo en Nash-ville que inició una empresa de Internet y pasó por el apogeo de las empresas punto com hasta llegar a la cima y luego hasta caer a lo más profundo. Comenzó con una inversión de 30 000 dólares de presupuesto y tres empleados. En un año la firma había crecido hasta incluir doscientos empleados. Unos meses después obtuvo 80 millones de dólares. "Robert", me dijo un día, "valgo más de 200 millones de dólares". Salió en prime-ra plana del periódico local. Tuvo un éxito enorme. Yo estaba realmente orgulloso de él.

Lo vi unos seis meses después, ¿y adivina cuánto valía enton-ces su red? Nada.

"Por lo menos logré estar ahí", me dijo. "Pasé de no tener nada a tener un par de cientos de millones de dólares a no te-ner nada en dos años", dijo. "Fue sorprendente. Aprendí mucho." Pero no tenía nada que mostrar además de la habilidad de dar un excelente seminario sobre asignación de activos.

¿Qué debió haber hecho? Obviamente, debió haber tomado un poco de riqueza y haberla ahorrado.

Entonces, ¿qué es lo que saben los idiotas ricos? En cuanto empiezan a coleccionar activos, toman algunos de esos activos y los diversifican en otros activos. No hay nada parecido al riesgo cero. Recuerda, incluso en Estados Unidos, los bancos estuvie-ron cerrados y muchas acciones perdieron su valor. La asignación amplia de activos entre categorías es crítica.

Regla número 12: Invierte en vehículos libres de impuestos

Cuando ganas dinero con acciones y bonos, al final debes pagar impuestos sobre tus ganancias, así que querrás mantener tus accio-nes en un vehículo libre de impuestos lo más posible. Una de las mejores formas de hacerlo es aumentar tus contribuciones 401(k).[1] Lo mismo resulta válido para las cuentas de retiro individuales autodirigidas y para los planes de pensión. Un buen asesor de inversiones te puede ayudar a descubrir cuál de estas mezclas te funcionará mejor y te ayudará a armarlas correctamente.

Regla número 13: Monitorea tu portafolio de acciones

Yo recomiendo echar un vistazo al desempeño de tu portafolio de acciones cada mes o cada trimestre, sin lugar a dudas cada año. Las metas de los portafolios de acciones son importantes y es necesario monitorearlas. No estoy diciendo que debes hacer cambios rápidos, estoy diciendo que necesitas estar consciente de lo que está pasando de modo que puedas reaccionar en consecuencia. Pide consejo o mueve tu dinero de inversión. Yo reviso mis activos cada semana. Todos los negocios en los que estoy involucrado, todos los activos, los reviso semanalmente. Todos los viernes me tomo quince minutos o media hora para ver la entrada y salida de dinero y asegurarme de estar cumpliendo mis metas.

Regla número 14: Consolida tus cuentas

Me gusta colocar mis cuentas en una agencia o en un banco. Tal vez digas: "Pero, Robert, eso no es diversificar". No obstante, estarías en un error, porque mis cuentas están diversi-

---

[1] [N. de la T.] El fondo 401 (k) es un fondo de pensión muy común en Estados Unidos que el asalariado puede controlar y al cual puede hacer contribuciones voluntarias. Entre las ventajas de estos fondos se encuentra la posibilidad de aplazar el pago de impuestos, con lo cual la cuenta logra un potencial de capitalización más rápido.

ficadas y mis inversiones están diversificadas. Claro, muchas personas obtienen reportes, digamos, de ocho empresas de acciones distintas y de tres cuentas de agencias de la bolsa. A mí me gusta mantener muy simples las cosas. Una organización. Un reporte.

Regla número 15: Recuerda el poder de O. P.
Usa a un organizador financiero profesional

Creo que todo el mundo debería sentarse con un organizador financiero profesional, incluso si gana sólo 20 000 o 30 000 dólares al año. Hay empresas que determinarán qué tipo de activos necesitas adquirir para ayudarte a empezar. Consigue a un experto que te ayude a determinar cómo usar mejor las deducciones de impuestos, los vehículos de disminución de impuestos como las cuentas de jubilación exentas del pago de impuestos, las cuentas de jubilación autodirigidas, los planes de pensión, seguros y anualidades, así como qué asignación de activos es mejor para ti y tu familia con el fin de cumplir sus metas.

TU PLAN DE ACCIÓN PARA PONER TODO DE CABEZA DEL IDIOTA RICO

1. Haz una cita con un organizador financiero... y asiste.
2. Levanta el teléfono en este momento y haz tu primera inversión en un fondo de inversión en acciones.

Inicia tu propio negocio

Mi hijo ahora es "empresario".
Así te llaman cuando no tienes trabajo.

TED TURNER

CONVIÉRTETE EN IDIOTA RICO: INICIA TU PROPIO NEGOCIO

A continuación hay un tercer activo que es un pilar para sostenerte en tu nueva vida como idiota rico. Necesitarás los tres para pasar de ser un LCQ a un idiota rico y mantenerte ahí. Echemos un rápido vistazo a las tres columnas de los idiotas ricos:

- Bienes raíces
- Acciones y bonos
- Negocios

¿Recuerdas los activos? Los activos son esas cosas que tienes o en las que inviertes que generalmente aumentan de valor y te traen riqueza con el tiempo. Tu propio negocio, no el de alguien más, es uno de esos activos que acumulan los idiotas ricos, junto con bienes raíces y acciones.

La realidad es que la mayoría de los idiotas ricos que realmente son adinerados llegaron a serlo iniciando su propio negocio. Si quieres convertirte en un idiota rico, ¿adivina qué? Vas a tener que iniciar tu propio negocio algún día, de modo que más vale que lo hagas ahora.

Otra vez estoy escuchando esas lamentaciones de LCQ: "Pero, Robert…" Olvídalo. He escuchado todas las razones por las cuales iniciar un negocio no es tan buena idea. He leído todas las estadísticas sobre la tasa de fracaso de las empresas que están empezando. Conozco todas las excusas: "No tengo el tiempo, las habilidades, el dinero, el apoyo…" etcétera, etcétera. He escuchado a todos los negativos, los economistas, los encuestadores. Por cada historia de terror sobre un negocio que empieza que has escuchado, yo he escuchado diez. ¿Y sabes qué? Me quedo con los principios de los idiotas ricos. Si quieres ser un idiota rico, inicia tu propio negocio de medio tiempo o de tiempo completo. Punto. Fin de la historia.

> ¡Recuerda!
> Siempre estás construyendo el negocio de alguien.
> Construye el tuyo.

LOS EMPLEADOS NO LLEGAN A MULTIMILLONARIOS, LOS JEFES SÍ

Acabo de pasar una hora realmente divertida leyendo en la revista *Forbes* el artículo "Reporte especial: Los 400 estadounidenses más ricos", todos con más de mil millones de dólares. ¿Sabes de qué me di cuenta? Nadie trabaja para nadie más. No hay ni un solo empleado entre ellos. Una confirmación bastante sólida de mi tesis de "ten tu propio negocio".

Sin embargo, yo no estaba satisfecho con sólo ver a los multimillonarios. Quería darte aún más pruebas de que tener un negocio propio es la forma de hacerte rico. ¿Listo? De acuerdo con información del censo de Estados Unidos, hay más de 4 millones de hogares con una red de riqueza de más de 1 millón de dólares (excluyendo la equidad de la casa propia). La información muestra que de esos 4 millones de hogares multimillonarios, 30 por ciento logró su éxito teniendo un pequeño negocio. Si 1.2 millones de hogares estadounidenses pueden convertirse en idiotas ricos al tener un negocio y más de 400 estadounidenses pueden volverse multimillonarios al trabajar para sí mismos, ¿no crees que tú también puedes?

Aún hay más pruebas. Las estadísticas muestran que la riqueza de Estados Unidos son los autoempleados. De acuerdo con información de la última Encuesta de Finanzas del Consumidor, la red promedio de riqueza de una familia en la que la cabeza del hogar trabaja para alguien más es de 65 000 dólares. Compáralo con los 352 300 dólares de red de riqueza promedio de una familia en la que la cabeza del hogar es autoempleado. Lo que esto significa es que en promedio las personas autoempleadas (que tienen su propio negocio) alcanzan una red de riqueza casi cinco veces y media más grande que las personas empleadas. Dicho de otro modo: los LCQ tienen menos, los idiotas ricos tienen más. ¿Quién prefieres ser?

FRACASA PRIMERO

Una de las razones más comunes que citan las personas para no iniciar un negocio propio es el miedo… el miedo al fracaso. Eso es una locura, porque el fracaso es algo que debemos aceptar y celebrar. Es uno de los componentes más significativos para poner la mentalidad de cabeza con el fin de iniciar tu propio negocio y ser rico: fracasa primero.

Hay muchas confirmaciones para este sorprendente punto de vista. Jude Wanniski, economista política, escribió: "Todo éxito es el resultado de un fracaso. Se necesitan varios intentos por tener éxito antes de alcanzar el éxito. Sólo piensa cuántas veces intentaste comer con cuchara antes de lograr hacerlo, sin mencionar el cuchillo y el tenedor. El éxito, por supuesto, es 'mejor' que el fracaso, pero el éxito no es posible sin el fracaso".

BusinessWeek tomó este tema en un artículo reciente: "Cómo el fracaso trae consigo éxito". "Todo el mundo teme al fracaso", dice la revista, "pero los parte aguas dependen de él. Las mejores empresas aceptan sus errores y aprenden de ellos." Prácticamente toda gran empresa ha fracasado en un momento u otro, pero uno de los mejores ejemplos de cómo celebrar el fracaso es la fiesta que organizó Inuit, Inc. "Inuit recientemente celebró una osada campaña de mercadotecnia que fracasó", reporta *BusinessWeek*. "La empresa nunca antes se había dirigido a los jóvenes que pagan impuestos y a comienzos de 2005 intentó llegarles a través de un intento desafortunado de combinar el llenado de los impuestos con el estilo *hip-hop*. A través de una página de Internet llamada RockYourRefund. com, Inuit ofrecía a los jóvenes descuentos para la página de viajes Expedia Inc. y para la tienda Best Buy, así como la habilidad de depositar devoluciones de impuestos directamente a tarjetas Visa prepagadas vendidas por el magnate del *hip-hop* Russell Simmons." Todo el proyecto fue un fiasco. ¿Qué hizo el presidente ejecutivo de Inuit con el equipo que fracasó? De acuerdo con el artículo, "frente a aproximadamente 200 vendedores de Inuit, el equipo recibió un premio del presidente ejecutivo Scott Cook". El presidente ejecutivo se dio cuenta de que para tener éxito, en ocasiones fracasarás y la pregunta que hay que hacer es ¿qué puedo hacer la próxima vez para hacerlo mejor?

> ¡Recuerda!
> Sólo los fracasos se convierten en éxitos.
> El fracaso no es una opción, es parte de tu proceso de éxito.

Tener el valor de fracasar no es algo exclusivo de los grandes de las corporaciones norteamericanas. El fracaso también es una parte integral del éxito empresarial. Debbi Fields, fundadora de las galletas Mrs. Fields, dijo: "Lo importante no es tener miedo de arriesgarte. Recuerda, el mayor fracaso es no intentarlo".

Sin embargo, hay una parte más importante del fracaso además de fracasar. Es detenerte y no volverlo a intentar nunca. Así que fracasaste en tu último intento de pasar un examen, bajar una talla, conseguir una cita, iniciar un negocio... ¿y qué? Sólo es fatal cuando nunca más lo vuelves a intentar. "El fracaso no cuenta", dice el motivador Frank Burford. "Si lo aceptas, tendrás éxito. Lo que hace que la mayoría de las personas fracasen es que después de un fracaso, dejan de intentarlo." Así que si has tratado de iniciar tu propio negocio y has fracasado... ¡estupendo! Has obtenido una valiosa experiencia y ahora eres miembro de una elite, junto con todos los idiotas ricos del mundo. Todos hemos fracasado. Pero todos lo volvimos a intentar.

TÚ ESTÁS SUDANDO EL EJERCICIO PERO TU JEFE ES QUIEN ESTÁ CONSIGUIENDO UN ABDOMEN DE LAVADERO

Piénsalo de este modo: mientras estés trabajando para alguien más, es como si fueras todos los días al gimnasio a hacer mucho ejercicio. Estás sudando. Tú estás levantando todo el peso. Pero todo ese esfuerzo se está yendo a formar unos extraordinarios pectorales o abdomen para tu patrón. Si tú vas a hacer todo ese trabajo y a invertir todas esas horas, deberías estar obteniendo todos los beneficios. Ésa es la mentalidad de los idiotas ricos.

AQUÍ ESTÁ TODO LO QUE NECESITAS SABER PARA INICIAR TU PROPIO NEGOCIO

Sé que hay cientos de libros llenos de miles de páginas respecto de cómo elegir tu negocio, iniciarlo, capitalizarlo, administrarlo, expandirlo… y la lista sigue. De hecho, hay tantos libros que podrías pasarte los próximos veinte años aprendiendo todo sobre negocios sin nunca iniciar uno. Y, hasta que lo hagas, nunca te convertirás en un idiota rico. Es como andar en bicicleta. Puedes leer todo al respecto. Puedes ver imágenes de otras personas en bicicleta. Puedes ir a la escuela y estudiar la física del movimiento, la geometría de las ruedas y las propiedades del hule. Pero hasta que te subas a tu nueva y brillante bicicleta, no estarás andando. Puede que te tambalees un poco, puede que tengas que entrenar las llantas, puede que quieras que alguien vaya a tu lado las primeras veces que te subas. Pero, al final, para ser capaz de andar en bicicleta, tú tienes que ser el que esté moviendo los pedales. No hay otra manera de aprender a hacerlo. Lo mismo es cierto en lo que respecta a tener tu propio negocio.

Sin embargo, hay algunas cosas simples que te pueden poner en marcha de inmediato.

LA REGLA NÚMERO 1 DE ROBERT: NO HAGAS UN PLAN DE NEGOCIOS GRANDE Y COMPLICADO

Tengo una amiga que gastó 50 000 dólares en un plan de negocios preparado profesionalmente. Tenía más de cien páginas y venía en un fólder muy bonito. ¿Pero qué tenía mi amiga en realidad? Tenía un hueco de 50 000 dólares en su chequera y un montón de papeles. ¿Acaso tenía un negocio? No. Otra triste historia de planes de negocios involucra a un conocido mío que gastó 20 000 dólares en honorarios de consultoría para un plan de negocios en un periodo de más de tres años para un negocio que todavía tiene que despegar. En ambos ejemplos los empresarios desarrollaron un plan de negocios tan enorme y complejo que quedaron frustrados antes de empezar.

Yo, seguí el plan MSE: "mantenlo simple, estúpido".   ✳

He lanzado varios negocios exitosos. Me he hecho socio de muchos negocios exitosos. Y tengo una sola regla simple sobre los planes de negocios: Mantenlo simple y breve. De hecho, el plan de negocios específico que usé para lanzar mi primer imperio de bienes raíces aparece en la página 221. Es el modelo que he usado para todos los negocios que he lanzado desde entonces. Sólo tiene cinco partes. Es lo único que necesitas. Adelante, siéntete en libertad de usarlo tú también. Ah y una cosa más. Si llenar este formato te toma más de una hora, sigues en el modo de LCQ.

Vamos a repasar cada uno de esos cinco elementos para que veas lo simples y poderosos que son. Además, deberías saber que cuando yo comencé tenía un empleo de tiempo completo. Estaba trabajando para alguien más... como tú. Si yo pude hacer tiempo para iniciar un negocio, tú también puedes.

Misión

Lo primero que debes escribir es cuál es tu misión. Aquí es donde realmente te pones a pensar en tus valores, en lo que es importante para ti, en lo que defiendes. Aquí es donde te pones a escribir cuál es tu sueño, tu visión. Tu misión debería ser siempre algo más que dinero. Como dijo Henry Ford, uno de los más grandes empresarios: "Si el dinero es tu esperanza de lograr independencia, nunca la tendrás. La única seguridad real que tendrá un hombre en este mundo es una reserva de conocimiento, experiencia y habilidad". Como dice Henry, no lo hagas *sólo* por el dinero.

Plan de negocios de una sola página de Robert para idiotas ricos

Mi misión: Quiero proporcionar viviendas de calidad para inquilinos de bajo ingreso, tratarlos como clientes valiosos y obtener una ganancia ética.

Mi compromiso con el tiempo: Voy a mantenerme fiel a mi plan de conseguir bienes raíces durante cinco años, pase lo que pase.

Mi meta: Quiero lograr independencia financiera al obtener diez propiedades en tres años.

Mis actividades: Voy a llamar entre diez y veinte inversionistas por semana. Voy a invitar a comer a un inversionista cada semana. Voy a conocer a dos nuevos inversionistas cada quince días. Voy a llamar entre cinco y quince agentes inmobiliarios y voy a hacer dos ofertas a la semana.

Mi agenda: Miércoles de 4 a 7 p.m. Sábados de 10 a. m. a 3 p. m. y lunes, martes y jueves por las noches durante cuarenta y cinco minutos.

El compromiso con el tiempo

A continuación, escribe sobre tu compromiso con el tiempo. Tienes que fijar una fecha límite para tus esfuerzos. Todos han oído decir que un éxito de la noche a la mañana tarda veinte años. Bueno, la buena noticia es que no tarda veinte años, pero sí tarda más de diez minutos.

Declarar "estoy en esto por más de cinco años" fue una de las cosas más inteligentes que he hecho. Por lo siguiente: durante el primer mes no sucedió gran cosa. Seguí adelante. No sucedió gran cosa durante el primer año, pero seguí adelante. No sucedió gran cosa durante el segundo año. Como el conejito de las pilas Energizer, seguí adelante, apegado a mi plan de una página. Para el tercer año, la gente comenzó a llamarme. Las oportunidades comenzaron a aterrizar a *mis* pies. Mi negocio despegó. Estaba en camino.

Toma tiempo crear impulso y hacer que las cosas se muevan. Por eso especificar un horizonte temporal es tan importante. Me obligó a dar a mi negocio floreciente el tiempo necesario para crecer y florecer.

¡Recuerda!
El dinero es tiempo.

La mayoría de las personas fija metas temporales poco realistas para ellas y para sus negocios. Luego, cuando no pueden lograrlas, renuncian. Pero, con frecuencia, después de que has estado haciendo algo durante uno, dos o tres años, hay un pequeño despegue. Es entonces cuando la gente comienza a darse cuenta y a decir: "Eres tan afortunado, ese trato simplemente cayó a tus pies." Bueno, no es suerte. Es el momento de cosechar todas las semillas que has plantado a lo largo de la temporada de siembra. Durante las semanas, meses y años iniciales los idiotas ricos se vuelven más inteligentes, más fuertes y mejores. Cuando llegan los frutos de la riqueza, estarán listos.

Meta financiera

Lo siguiente es fijar tu meta financiera. Hazla lo más específica posible y siempre agrega lo que vas a hacer para lograrlo. No tiene sentido escribir: "Voy a ganar millones de dólares", a menos que también digas cómo vas a lograrlo. ¿Vas a comprar acciones o bienes raíces, vas a hornear toneladas de pasteles, vas a comprar una aerolínea comercial?... ¿qué vas a hacer exactamente?

Actividades

No puedes saltarte el cuarto paso, planear actividades con objetivos. Esto es importante. A uno de esos multimillonarios que aparecen en la revista *Forbes*, Mark Cuban, de cuarenta y ocho años, le preguntaron: "¿Qué es más importante, la idea o la forma en que se lleva a cabo?" Él no dudó: "La forma en que se lleva a cabo. Todo el mundo tiene ideas". Debes hacer algo todos los días que te acerque a tu meta de negocios. Pues los negocios son lo decisivo. Sin un plan de acción, lo único que tendrás son buenas ideas... tú y los demás millones de LCQ que hay allá afuera. Con un plan de acción, estás en territorio de los idiotas ricos.

¡Recuerda!
Idea = LCQ
Idea + acción = idiota rico

Agenda

El elemento final del plan de negocios que yo defiendo es la disciplina. No tienes un jefe. No hay reloj chocador. Todo depende de ti. Debes fijar horarios y cumplirlos. Cuando sumes el número de horas que tienes por lo general cada semana para crear un negocio, te sentirás sorprendido de ver que son aproximadamente siete u ocho. La mayoría de las personas piensa que necesitas cientos de horas para lanzar un negocio. No es cierto. Puedes lanzar un negocio exitoso en tan sólo una hora diaria... pero tiene que ser todos los días y una hora completa.

Sabes, hubo muchas, muchas veces durante esos primeros años críticos de mi negocio en que tuve ganas de renunciar. Soporté muchos días malos. Pero regularmente sacaba mi plan, lo releía y reafirmaba mi compromiso de cinco años. No puedo decirte lo feliz que estoy ahora de haberme mantenido fiel a mi misión y a mi meta.

A continuación hay una agenda que desarrollé para rastrear mi tiempo. El único activo verdadero que tienes en la vida es tu tiempo. ¿Cómo lo estás invirtiendo? Me gusta rastrear mi tiempo para negocios en incrementos de quince minutos.

Forma para rastrear el tiempo de Robert

Actividad	Tiempo invertido	¿Ha dado o va a dar dinero?	¿Lo disfruto? ¿Puedo conseguir que lo haga alguien más?

Y así sucesivamente…

LA REGLA NÚMERO 2 DE ROBERT: CONCÉNTRATE

Todos los días recibo llamadas de los estudiantes a los que asesoro y lo que dicen es esto: "Robert, esto no funciona. No estoy ganando dinero. Estoy frustrado. Estoy alterado".

"¿Qué actividades estás llevando a cabo?", pregunto, poniendo mucho énfasis en la palabra *actividades*. Pero conozco la respuesta antes de escuchar su lista… una lista que podría ahogar un caballo.

"He estado realmente ocupado. Estoy trabajando todo el tiempo."

"He estado leyendo tu libro. Lo leí tres veces, Robert."

"Me encontré con doce personas, como dijiste tú."

"Fui a varias reuniones."

"Fui a una sesión de entrenamiento."

"Puse mi propia oficina."

"Leí el periódico y resalté diez anuncios."

"Hice mis cinco llamadas telefónicas. Pero te digo que nada está funcionando."

"¿Has comprado algo? ¿Has vendido algo?", pregunto. Hasta que de hecho hagas una oferta, firmes con ese cliente, vendas tu producto o compres ese inmueble o esa acción *nada* va a sucederte. Al final del día, tienes que preguntarte: "¿Lo que estoy haciendo es una actividad útil, algo que me está generando dinero o es sólo trabajar por trabajar?"

Uno de los negocios a los que entré fue una empresa de mercadeo en red. Me habían dado la idea de concentrarme en actividades que dieran ganancias rápidas. Si conseguía gente que se inscribiera y enviaba el papeleo, me daban un cheque jugoso. Si no lograba que se inscribiera gente y no enviaba las formas, no me llegaba dinero. ¿Cuál era mi enfoque? No me pasaba horas estudiando planes de compensación, haciendo listas interminables de pendientes, asistiendo a juntas ni organizado y reorganizando mis papeles. En cambio, me concentraba en inscribir gente.

¿En qué inviertes la mayor parte de *tu* tiempo? Hazte un espacio para escribir todo lo que haces, hora por hora, durante una semana. Te garantizo que te sorprenderá la cantidad de tiempo que desperdicias en actividades que no te están acercando nada a tu meta de convertirte en idiota rico.

Eso es lo que hacen los idiotas ricos. Se concentran. ¿Cuál es tu enfoque? Si no lo tienes, estarás atorado pedaleando, haciendo "cosas" y sin conseguir ganar un buen dinero de idiota rico.

La regla número 3 de Robert: No importa qué sea, importa que te guste

Bob Dylan tenía razón cuando dijo: "Un hombre es un éxito si se levanta por la mañana y se va a la cama por la noche y entre una y otra cosa hace lo que quiere hacer".

Todo el tiempo me preguntan: "Robert, ¿cuál es el mejor negocio para que pueda comenzar?" Y mi respuesta siempre es la misma:

"El mejor negocio para que empieces es un negocio que te guste."

Piensa en qué te gusta hacer y hazlo. No importa si tu especialidad es el café como Starbucks, las hamburguesas como McDonalds, la joyería como Cartier, los relojes como Rolex o las flores. Como dice Anita Roddick, fundadora de The Body Shop: "Para mí, el éxito no es dinero ni estatus ni fama, es encontrar un medio de subsistencia que me dé alegría, me permita ser autosuficiente y me dé la sensación de estar contribuyendo al mundo". Exacto, Anita. Para ti lector, la lección es la siguiente: Busca algo que te guste… el éxito y el dinero vendrán después.

Así le pasó a mi amigo y antiguo vecino Garth Brooks, el famoso cantante de música country. Ahora ha vendido más discos que casi nadie, con excepción de los Beatles, y es uno de los artistas más exitosos de todos los tiempos, a pesar de haber comenzado trabajando en una tienda de botas en Nashville. En ese entonces le contó a todo el mundo que su pasión era la música. Medía pies y apilaba cajas y todo el tiempo seguía diciendo que el amor de su vida eran las canciones. Fue a más de veinte compañías disqueras con sus propias composiciones y lo echaron de todas y cada una, no una vez sino tres o cuatro. No importó. Garth sabía qué iba a hacer y se mantuvo apegado a su pasión hasta que se convirtió en un éxito.

¿Cuál es tu pasión? ¿Qué es eso que te gusta tanto hacer, aunque nadie te pagara por hacerlo? Ahí está tu respuesta. Ése es el negocio que deberías iniciar.

Vamos a tomar un descanso y a analizar tu escenario
de empleo *vs.* negocio propio

Puedo escuchar a todos ustedes en este momento. Quieres tener un negocio propio con todas tus fuerzas, pero todavía tienes esa mentalidad de empleado. "Robert, me encantaría empezar mi propio negocio, pero necesito mi empleo. Tengo antigüedad. Llevo quince años invertidos en esa compañía. Soy candidato a un ascenso. Tengo mi pensión. Tengo un trabajo seguro."

¿Y sabes qué digo yo? No hay tal cosa como un trabajo seguro. No importa cuántos años tengas invertidos, qué tipo de ascenso te hayan prometido o cuánto te respeta tu jefe. La realidad es que podrías perder tu empleo mañana. Sucede todo el tiempo. Tu empresa se desploma o la venden. Despiden a tu jefe y las políticas de la oficina dictan que tú debes ser el siguiente en irte. El fondo de pensión quiebra. Llámalo como quieras: reducción, asignación de activos, reingeniería. El resultado es el mismo. Un día tienes empleo y al siguiente no. Eso no es lo que los idiotas ricos llaman seguridad. Un trabajo seguro, al estilo de los idiotas ricos, es cuando tú tienes el control de tu ingreso, tu vida y tu futuro. Ésa es seguridad real.

> ¡Recuerda!
> TÚ eres la única seguridad laboral que tienes.

REGLA NÚMERO 4 DE ROBERT: LAS GANANCIAS DIRIGEN LOS GASTOS

¿Qué significa esto? Hablando en términos de idiotas ricos, significa no gastar lo que no tienes. No necesitas un escritorio elegante, una oficina enorme ni diez empleados, por lo menos no hasta que tu negocio esté generando una tonelada de dinero. ¿Qué necesitas? Permíteme decirte lo que tengo y yo gano millones. Tengo un teléfono celular, una computadora portátil, una oficina en casa y un asistente. Eso es todo. Subcontrato y me asocio con casi todo. Puedo dirigir mi negocio desde South Beach, Nueva York, América del Sur, un crucero... y tú también.

REGLA DE ROBERT NÚMERO 5: NO TRABAJES DURO

Yo voy incluso más allá de eso y digo: "Si trabajas demasiado duro, eres un LCQ y seguirás siendo un LCQ". Los idiotas ricos habitualmente toman tiempo libre de sus negocios. Programan un día o una semana en que pueden estar libres y pensar dónde están y a dónde van. ¿Cuándo fue la última vez que te tomaste un día sólo para pensar en ti, en tus necesidades, en tus planes? Si no has hecho una recapitulación mental en los últimos treinta días tienes mi permiso para hacerla. Ese día o semana libres harán más por ayudarte a convertirte en un idiota rico que todas las semanas de sesenta u ochenta horas combinadas. Regresarás refrescado, recuperado y revigorizado... al igual que tus negocios.

La otra parte de la fórmula de negocios de los idiotas ricos de "no trabajes duro" es la siguiente: si no puedes dejar tu negocio durante un periodo largo, todavía no eres un idiota rico. Si te vas durante tres meses, ¿tu negocio se desploma y queda acabado? ¿Estará ahí cuando regreses? ¿Tu negocio puede funcionar sin ti?

> ¡Recuerda!
> No se trata de qué tan duro trabajes.
> Se trata de qué tan inteligentemente trabajes.

Aprendí esta lección en una forma muy poco común. Estaba ocupado creando mi negocio, trabajando duro y dando mi mayor esfuerzo. Un día mi esposa, que era de Europa, un lugar donde todo el mundo se toma de cuatro a seis semanas de vacaciones, me dijo que había reservado un vuelo para que fuéramos a visitar a su familia durante un mes completo. Nada de lo que dije pudo hacerla cambiar de opinión. Íbamos a ir y punto. Así que busqué a alguien que contestara mis llamadas, a alguien más que recogiera mi correo, a alguien que pagara mis cuentas y a alguien que hiciera los depósitos en el banco. Ahora, aquí está la parte rara: me preocupaba mucho que al regresar no quedara nada de mi negocio y tuviera que empezar de nuevo. ¿Pero adivina qué? Ese mes gané más dinero que nunca y las cosas iban muy bien. Ahora habitualmente me tomo tres meses o más de vacaciones y mi negocio florece. Si yo puedo, tú también.

> ¡Recuerda!
> Recompénsate por cada éxito,
> sin importar lo pequeño que sea.

FUERA DE ESTE MUNDO

No tienes que limitar tu negocio a este mundo, también puedes hacer dinero en el mundo virtual. ¿Recuerdas lo que hablamos sobre mundos virtuales como Second Life en el capítulo 8?

Un mundo virtual es un mundo en línea en el que puedes comprar y vender cosas, iniciar cualquier tipo de negocio, ganar dinero sin nunca salir de casa.

Los mundos virtuales están surgiendo por todas partes en Internet, así que están a un *clic* de distancia en tu computadora. Y la mejor parte de esos mundos virtuales es que puedes ganar dinero real. Echa un vistazo. De acuerdo con *The Next Big Thing*, escrito por E. M. Kaye, la gente gasta más de 1.5 mil millones en artículos virtuales cada año, comprando o vendiendo cosas virtuales como muebles para casas virtuales y ropa o joyas para sus *alter ego* virtuales (también conocidos como avatares). Salen a clubes virtuales, apuestan en casinos virtuales, viajan en autos virtuales, y compran y venden inmuebles virtuales. Y todas estas "cosas" virtuales se pagan con dinero del mundo real.

- Como mencioné antes, Second Life es uno de los mundos virtuales de más rápido crecimiento, con casi 10 millones de residentes y una tasa de crecimiento de dos dígitos. Millones de dólares cambian de manos en esta plataforma económica mes con mes.

- Tencent, uno de los portales de Internet más grandes de China, con más de 250 millones de cuentas de usuarios activos, generó más de 100 millones en el primer trimestre de 2007. Aunque resulte increíble, más del 65 por ciento de ese ingreso provino de artículos virtuales.

- Gaia Online dirige más de 50 000 subastas de persona a persona y organiza un millón de mensajes al día, lo que la convierte en el tercer sitio más grande de subastas y en el segundo lugar de mensajería en Internet. Además de acumular ventas masivas con tarjeta de crédito, tiene un personal cuya única función consiste en abrir sobres llenos de pagos en efectivo por productos virtuales.

Se calcula que el número de mundos virtuales se duplica cada dos años, así que literalmente hay millones de nuevas oportunidades para crear negocios. Y no tienes que ser un sabelotodo ni un genio de las computadoras.

¡SÓLO HAZLO!

Podría terminar con una larga lista de cosas por hacer antes de iniciar tu negocio, incluyendo reglas que debes seguir, formas que debes llenar, asesores que debes consultar, entre otras cosas, pero no lo haré. Ya tienes todo lo que necesitas. Tienes la pasión, el empuje, el deseo y la información. También me tienes a mí, Robert, tu amigo idiota rico, mentor y aliado. Tienes a todo mi equipo para ayudarte. Tienes mi sitio de Internet, www.Get RichWithRobert.com, para suministrarte dosis diarias de información e inspiración. Lo tienes todo.

Lo único que me falta decirte es que comiences. Justo ahora. ¡Sólo hazlo!

PLAN DE ACCIÓN PARA PONER TODO DE CABEZA DEL IDIOTA RICO

1. Elabora un plan de negocios simple.
2. Decide qué negocio alimenta tu pasión. Ése es el negocio que vas a iniciar.

CAPÍTULO 11
SECRETO NÚMERO 7

Actúa

La mejor forma de predecir el futuro es crearlo.

PETER DRUCKER

¿RECUERDAS A ESOS IDIOTAS RICOS?

Al comienzo de este libro hubo un tipo que pasó a toda velocidad en un Cadillac o en un Porsche nuevecito mostrando su Rolex. Lo reconociste como el idiota que reprobó en la escuela, mientras tú estudiaste mucho y sacaste puros dieces. Recuerdas que mientras estabas sentado en tu auto de ocho años de antigüedad y veías la hora en una baratija de reloj preguntaste: "Si soy tan listo, ¿por qué ese idiota es rico y yo no?"

¿Quieres saber la respuesta? Porque ese tipo no se preocupaba realmente por sacar puros dieces. Después de reprobar consiguió trabajo de mesero. Sonrió mucho. Consiguió excelentes propinas. El día que te graduaste de la preparatoria él compró su primer dúplex. El día en que recibiste tu pluma corporativa por diez años de trabajo, él ya estaba retirado. ¿Qué lo hizo un idiota rico? La acción.

¿Recuerdas haber tomado tu periódico local y haber reconocido en el tipo de la fotografía al niño que no podía contar el cambio? Ahora es adulto, estrecha la mano del gobernador y dirige una empresa multimillonaria. Tú, por otro lado, siempre hiciste bien las sumas. Pero la única persona que te estrecha la mano es el encargado de saludar en Wal-Mart. Recuerdas haberte preguntado: "Si soy tan confiable, ¿cómo es posible que ese idiota sea rico y yo no?"

¿Quieres saberlo? Mientras tú estabas ocupado con tu tarea de matemáticas, ese chico reunió a un montón de sus amigos perdedores, armó un taller en la cochera de su papá y comenzó a crear programas de computadora, a hablar con socios capitalistas y a vender. ¿Qué lo hizo un idiota rico? De nuevo, la acción.

¿Recuerdas el momento en que te diste cuenta de que el tipo que estaba impartiendo ese seminario y que estaba arrojando billetes de cien dólares a la audiencia era el hijo de la vecina de tu madre en Queens? Era ese chico desbalagado con pantalones flojos que siempre estaba pidiendo dinero a todo el mundo porque nunca tenía un centavo. ¿Recuerdas haberte preguntado cómo fue que él terminó con todo el dinero y tú terminaste haciendo intentos por llegar a fin de mes?

¿Quieres saber cómo sucedió? Se volvió muy bueno para pedir dinero prestado. Pidió prestado hasta comprar su primera propiedad de bienes raíces, luego su primer negocio. Se volvió hábil para usar el poder o. p. Pidió dinero. Pidió mejores tratos. Pidió ayuda. Actuó. ¿Qué hiciste tú?

Y qué tal ésta: ¿recuerdas haber leído en la revista *People* la historia de la niña que solías cuidar? La niña que no se sabía combinar la ropa y que ahora es dueña de un imperio de modas por Internet.

Recuerdas haberte preguntado: "¿Cómo es posible que esa idiota tenga esa vida maravillosa, creativa y plena mientras que yo estoy aquí en la fila preocupándome por cuánto cuestan un par de revistas?"

Déjame decirte por qué. Ella pasó las noches creando sus diseños y los días, convirtiéndolos en algo tangible en la vieja máquina de coser de su mamá. Tomó sus creaciones y fue a todos los estudios de diseño y a todas las tiendas en Manhattan. Cuando le azotaron la puerta en las narices, aprendió a montar una página de Internet y comenzó a vender en línea. ¿Cuál fue su secreto? Actuó. Hizo lo necesario para convertir su sueño en realidad.

¿Recuerdas lo emocionado que te sentías por tu ascenso a vicepresidente de algo hasta que reconociste al conferencista y a su familia en la junta anual de tu empresa? Él nunca logró terminar la escuela, ella se embarazó y dejó de estudiar también. Ahora tienen una familia excelente y una organización filantrópica internacional. Regalan más en una hora de lo que tú ganas en un año. ¿Recuerdas haber preguntado: "Si yo trabajo tan duro y soy tan listo, por qué el universo otorga estos regalos lujosos a personas que rompen todas las reglas?"

Imagino que para este momento ya conoces la respuesta. Esas personas tuvieron una idea y la llevaron a la práctica.

Esa energía es lo que tienen los idiotas ricos. Ése es su mayor secreto. No es que hayan tenido la mejor idea. No es que hayan tenido todas las oportunidades. No es que tuvieran apoyo o una gran educación o un fideicomiso. No. Lo que todos tenían era la convicción de que necesitaban actuar.

NADIE SABE REALMENTE LO QUE ESTÁ PASANDO

Sé que muchos de ustedes nunca actúan porque temen no saber suficiente, no estar listos. Entonces, ¿qué ocurre? Pasas meses, incluso años, preparándote, aprendiendo, investigando intentando anticiparte a todo lo que podría suceder. ¿Por qué? Porque no quieres admitir lo mucho que no sabes. No quieres lucir como un idiota. Pero, ¿adivina qué? Así es exactamente como lucirás cuando no actúes.

Quiero tranquilizarte sobre algo y borrar tus miedos: los idiotas ricos no lo saben todo. De hecho, la mayor parte del tiempo no saben qué hacer en lo absoluto. Pero de cualquier manera hacen su mejor esfuerzo.

Te voy a contar una historia y espero no meterme en problemas por ello. Me la contó el presidente ejecutivo de una de las organizaciones financieras más poderosas de Wall Street. El incidente sucedió a finales de los ochenta a puerta cerrada e incluyó a una docena de las instituciones financieras y los bancos más prestigiosos de Estados Unidos, así como a los hombres poderosos que los dirigen. Mi amigo era uno de esos hombres en ese entonces.

La bolsa se estaba derribando. La economía norteamericana estaba en problemas. Así que el presidente ejecutivo de la Reserva Federal arregló que la cabeza de los diez bancos y casas de inversión más importantes tuvieran juntos una conferencia telefónica con él a la mañana siguiente para decidir qué hacer. Piénsalo: una reunión de expertos estrella desde California hasta Nueva York en sus oficinas al amanecer con el fin de salvar al país.

Todos salvo mi amigo. Él salió de su casa con mucho tiempo para la llamada, pero cuando llegó a su oficina se dio cuenta de que se le había olvidado el control remoto de la cochera de seguridad y no podía entrar al edificio. Pensarías que este tipo sería lo suficientemente organizado como para recordar algo tan pequeño como un control. Pero no. Así que ahora está sentado en su auto esperando que llegue alguien y abra la cochera.

Finalmente entró al edificio y logró enlazarse a la llamada. Así fue cómo estuvo:

"Hola, Harry, ¿qué crees que deberíamos hacer?", preguntó el presidente ejecutivo de la Reserva Federal.

"No tengo idea, señor", contestó Harry.

"¿Y tú qué dices, Chuck, alguna idea?"

"No sé qué decir", contestó Chuck, cabeza de uno de los bancos más grandes del país.

"Edward, quiero oír lo que piensas."

"Bueno, a decir verdad, no pienso gran cosa."

Y así fue como estuvo, así transcurrió la conferencia, sin que ningún idiota rico tuviera idea de qué hacer.

Hasta que finalmente alguien dijo: "Oigan, por qué no ponemos más dinero en el sistema y esperamos que funcione". Gracias a Dios alguien tomó una decisión y actuó, porque funcionó y la estabilidad regresó a los mercados financieros.

Mi objetivo al contar esta historia es mostrarte que incluso los idiotas ricos a veces no saben qué están haciendo. Lo van decidiendo sobre la marcha. Justo como todo el mundo. Justo como tú.

Pero hay una diferencia impactante. Tú piensas que las cabezas de las corporaciones, los mejores, los más brillantes, los más listos que tienen el control saben exactamente qué es lo que están haciendo. A veces no es así, pero por lo menos toman una decisión y actúan. Los idiotas ricos hacen *algo*. Actúan. Esos expertos se vieron enfrentados con algo que nunca antes habían encontrado y tuvieron que actuar. Al principio, justo como lo hace todo el mundo por lo general, dicen: "No sabemos qué hacer". Pero aún sin saberlo, hicieron algo. Actuaron.

¿Estás congelado? ¿Te preocupa no saber qué hacer? No importa. Sólo *actúa* como si lo supieras.

INCLUSO LOS IDIOTAS RICOS ESTUVIERON ASUSTADOS EL PRIMER DÍA DE ESCUELA

Quiero contarte cómo conquisté mi propio miedo y finalmente reuní el valor necesario para entrar en acción. Es una historia sobre niños, sobre el jardín de niños y la facultad de derecho.

Nunca olvidaré mi primer día en la facultad de derecho. (Sí, finalmente logré entrar, no me pregunten cómo lo hice.)

De cualquier forma, era el primer día y había aproximadamente cuatrocientos de nosotros (los mejores y los más brillantes) todos muertos de miedo. Luego, Dean Epstein, un abogado y maestro de fama mundial, se levantó para dirigirse al grupo.

"¡Hola a todos! Quiero que se relajen", dijo con su acento tejano.

Todos estábamos ahí sentados pensando: "Sí, cómo no, no nos vamos a relajar de nuevo hasta que nos hayamos graduado, en tres años". El hecho era que todos estábamos aterrorizados. Nos daba miedo que la carga de trabajo fuera demasiado pesada, nos daba miedo que no fuéramos a ser de los mejores de la clase, nos daba miedo ser ridiculizados por nuestros compañeros estudiantes, nos daba miedo reprobar. Era una masa temblorosa de estudiantes de leyes asustados.

"¿Recuerdan su primer día en el jardín de niños?", preguntó Epstein. "¿Recuerdan cómo se aferraban a la mano de su madre porque estaban muertos de miedo? Les aterrorizaba no poder pasar el jardín de niños. Pero, saben qué, lo lograron. Pasaron a la primaria... mismo terror el primer día. Luego estuvo el primer día en las grandes ligas, la secundaria, y más miedo. Luego pasaron a la preparatoria. ¿Recuerdan lo asustados que estaban ese primer día con todos esos grandulones de último año? Luego, de repente, ustedes también estuvieron en último año. Luego volvieron a estar asustados cuando entraron a la universidad... y ahora aquí están, experimentando otro primer día, y de nuevo están asustados. Pero yo puedo ayudarlos a eliminar su miedo. Sólo piensen que es su primer día en el jardín de niños, nada más que diecisiete años después. Lograron superarlo entonces y lo lograrán ahora."

Podías escuchar un suspiro colectivo de alivio proveniente de los cuatrocientos estudiantes de derecho en su primer día.

Así que si tienes miedo de actuar porque todo es nuevo y desconocido, pregúntate lo siguiente: "¿Soy mejor en mi empleo hoy que el primer día que me contrataron?" Confía en que cuanto más practiques mejor te volverás para invertir, para los bienes raíces, para iniciar y dirigir un negocio, para convertirte en idiota rico. John Lennon pudo haberlo dicho mejor: "Lo desconocido es lo que es... Acepta que es desconocido y no es otra cosa que una simple navegación".

Primero cuida de ti

He aquí un principio importante y que pone las cosas de cabeza: Cuando actúes, actúa para cuidar primero de ti. Primero págate a ti. Primero descansa tú. Primero recompénsate tú. Si no cuidas tu activo principal (tú) no serás capaz de cuidar a otras personas que dependerán de ti a medida que te vuelvas cada vez más rico.

Yo aprendí esta lección del "amor a uno mismo" de la manera difícil. Soy el típico idiota rico. Me gusta tanto lo que hago que estaba trabajando sin parar, ayudando a otras personas, administrando mis obras de caridad, viajando alrededor del mundo dando conferencias, dirigiendo mis negocios y comprando y vendiendo propiedades, hasta que un día mi buen amigo y médico, Richard Hirsch, me preguntó: "Robert, ¿te gusta ayudar a otras personas?"

"Sabes que sí", respondí.

"¿Te gustaría ayudar a la gente durante otros veinte, treinta, cuarenta o sesenta años?"

"Eso sería genial", contesté. "¿Cómo lo hago?"

"Cuidándote mejor en este momento", respondió tajantemente. "Al descuidarte, al no poner tu salud y tu descanso al principio, estás restando valiosos años a tu vida. Si mueres de estrés y sobrecarga de trabajo, no le sirves a nadie. Piensa a cuántas personas podrías ayudar si vivieras más tiempo."

Finalmente lo había entendido. Al cuidarme iba a ser capaz de cuidar mejor a otros durante mucho más tiempo. Nunca lo había visto de ese modo. Como la mayoría de ustedes, me educaron para creer que ponerte al principio de algún modo es un acto egoísta. Pero los idiotas ricos saben que ponerse al principio es un acto puramente desinteresado.

Así que hazlo. Comienza a cuidarte, en este momento. Actúa al respecto.

COMIENZA POR EL FINAL

Aquí tienes otro fragmento de la sabiduría de cabeza de los idiotas ricos: comienza por el final. Los idiotas ricos siempre comienzan cada proyecto, cada inversión y cada acción con el resultado deseado en mente. Lo que quieres son resultados claros. Asegúrate de que tu destino sea alcanzable. Pregúntate las siguientes tres preguntas críticas:

1. ¿Qué resultado quiero?
2. ¿El resultado es posible?
3. ¿Qué tanto lo quiero?

Esto es lo que yo hago: decido el resultado que quiero para cada una de las actividades. Si voy a hacer una llamada telefónica, decido qué quiero que suceda para el momento de colgar. Si voy a una reunión, decido qué quiero haber logrado al terminar la reunión.

También decido si lo que quiero es posible o si es un sueño guajiro. ¿Estoy en la zona de lo posible o ya me volé la barda? ¿Puedo lograr mi meta en una cantidad de tiempo razonable? ¿Qué otros recursos además de mí mismo necesito incluir? A veces las respuestas no son lo que estoy buscando, así que ajusto todo y comienzo de nuevo el proceso.

Finalmente, me pregunto qué tanto quiero el resultado. ¿Realmente quiero cerrar ese trato? ¿La propiedad es la adecuada? ¿Le he pedido a mi equipo de ensueño consejo sobre una inversión en particular? ¿Me gusta la persona con quien estoy a punto de iniciar un negocio? Si hay la menor duda o inseguridad, paso al siguiente proyecto, al siguiente resultado.

Pero, sin importar en qué esté trabajando, siempre actúo con el final en mente.

¿Qué resultado *quieres*? ¿Tu respuesta es: "Quiero 10 000, 100 000, 10 millones de dólares"? Es bueno soñar en grande, pero también tienes que ser realista. Si en este momento estás ganando 45 000 dólares al año, tus posibilidades de ganar 65 000 dólares en un año son realmente buenas. También tus posibilidades de ganar 75 000 dólares. Ganar 90 000 o incluso 100 000 dólares todavía está en el marco de lo posible.

¿El resultado es posible? ¿Puedes pasar de 45 000 dólares a 10 millones en un año, en dos, en tres? Ganar una enorme suma como ésta sigue siendo posible pero es un poco más difícil a menos que tengas una fecha realista. Trabaja planes a seis meses, un año, cinco años y diez años. Ve las realidades a corto y largo plazo y actúa en consecuencia.

¿Qué tanto *quieres* el resultado? Si no quieres el resultado con cada una de las fibras de tu ser, no lo obtendrás. Así que decide y luego actúa.

> ¡Recuerda!
> Hay una cosa más de la que debemos hablar antes
> de que corras hacia el resultado: tu mentalidad. Tienes
> que relajarte, perder el miedo, perder el estrés.
> Reemplázalo con pasión, deseo y fe, lo cual
> crecerá con cada acción.

ELIGE UNA ACTIVIDAD

Mira la palabra actividad. ¿Cuáles son las primeras tres letras? Act... como en la palabra "actúa". Así que hazlo. Haz algo hoy. Haz algo mañana. Haz algo pasado mañana. Acciones simples con el tiempo te llevarán a tu meta. Ahora es momento de recordar todos esos viejos dichos como: "El viaje más largo comienza con un paso". Da tu primer paso. Aquí tienes otra línea como: "¿Cómo te comes un elefante? Una mordida a la vez". Da tu primera mordida.

Ahí es donde los LCQ se equivocan. Los LCQ se enfocan en la meta. Los idiotas ricos se enfocan en las actividades que los llevarán a conseguir esa meta.

Todo el mundo tiene metas. Entonces, ¿por qué no todo el mundo las alcanza? Porque no se trata de la meta, se trata de la actividad que te llevará a la meta. ¿Entendiste?

Haz lo que yo: todas las noches antes de irme a dormir hago una lista de dos o tres actividades que voy a hacer al día siguiente, actividades que me acercarán mucho más a mi meta.

Por ejemplo, supón que quieres comprar tu segunda propiedad de bienes raíces. Ésa es tu meta. ¿Qué vas a hacer mañana para que suceda? ¿Qué actividades vas a realizar? Podrías comprar el periódico y llamar a tres o cuatro propiedades probables. Podrías ir a un banco y llenar el papeleo necesario para que preaprueben una hipoteca. Podrías hacer una cita para entrevistar a un abogado de bienes raíces especializado en propiedades para rentar. O podías hacer las tres cosas.

CONTROLA

Controla tu vida financiera en este momento. Escribe todo el dinero que te entra y todo el que sale. No importa lo oscuro que sea el panorama, es mucho mejor saber que no saber. Los idiotas ricos no temen a las malas noticias, temen no tener noticias.

A continuación actúa para arreglar lo que esté roto en tus finanzas.

Finalmente, organízate. Consigue un archivero y organiza tus papeles financieros importantes: tu testamento, tus pólizas de seguro, tus escrituras, cualquier poder de abogado, los documentos de tus fondos. Si no tienes algo, contacta a tu abogado o a Pre-Paid Legal (encontrarás esta organización en mi página de Internet en www.GetRichWithRobert.com) para que lo haga. Pon en orden tu hogar financiero, aunque sea un hogar realmente pequeño de una sola habitación. Actúa como si tuvieras millones que manejar… y finalmente los tendrás.

Recompénsate y ajusta

En el minuto en que logres una meta o termines una acción, recompénsate. Es algo importante. No todo el mundo logra llegar a esa etapa. Si no estás obteniendo los resultados que esperas, no te rindas. Ajusta la meta y ajusta la actividad. Los idiotas ricos no llegan a serlo por seguir un camino recto… zigzaguean antes de convertirse en verdaderos ricos.

Ahórrate algunos regaños

No seas tan duro contigo mismo. Recuerda, estás aprendiendo. Hacerte rico es un proceso. Por ejemplo, cuando hago una oferta en una propiedad y me rechazan, no me altero. ¡Más bien me da gusto porque me doy cuenta de que no ofrecí demasiado!

Toda información es retroalimentación. Toda retroalimentación es buena. He iniciado negocios que han fracasado, pero después me he sentado y he dicho: "Excelente, veamos qué has aprendido y qué puedes aplicar en tu siguiente negocio". He tenido inversiones en bienes raíces e inversiones en acciones que no han resultado como esperaba, pero me he sentado y he dicho: "Buen trabajo, Robert, veamos qué has aprendido y qué puedes aplicar en tu próxima inversión".

Cuando empecé por primera vez tenía que hacer un montón de llamadas en busca de prospectos. Odiaba hacerlo. Pero sabía que por cada cien llamadas que hiciera, diez personas me comprarían y eso significaba diez ventas, ingreso, bonos. ¿Qué hacía cuando treinta o cuarenta personas me azotaban la puerta o me colgaban el teléfono? Decía: "Bien, Robert, estás cuarenta llamadas más cerca de tus diez ventas." Ésa es la mentalidad del idiota rico.

No dejes de seguir adelante

Disfruta el viaje. No te desanimes. La mayoría de los LCQ intenta algo una vez y, cuando no funciona, se acurrucan en una pequeña bola de fracaso y nunca más lo vuelven a intentar. Pero lo divertido es hacer el intento. Habla con cualquier idiota rico y te lo dirá. La mejor parte de la riqueza, el negocio multimillonario, el portafolio de acciones multimillonario, los complejos de departamentos y los centros comerciales fue el desafío de lograrlo. Fue llegar a ese punto.

Has seguido leyendo este libro hasta ahora, así que ya estabas en el juego. No dejes de seguir adelante después de dar vuelta a la última página. Porque es entonces cuando comenzará la *verdadera* diversión. Déjame decirte que va a ser el mejor paseo de tu vida... tu paseo hacia la riqueza.

> ¡Recuerda!
> Como me han dicho algunos de los líderes espirituales más grandes del mundo, a quienes he tenido el privilegio de conocer, la gente es demasiado dura consigo misma. Así que siéntete bien. Disfruta todo.

El sorprendente final

Tengo un último secreto para ti. Está en la respuesta a una pregunta que estoy a punto de hacerte. Contéstala bien y estarás en camino a convertirte en el próximo idiota rico. Contéstala mal y seguirás siendo un LCQ. ¿Listo? Ésta es la pregunta.

Hay dos personas leyendo este libro. Una va a seguir siendo un LCQ y la otra va a ser el próximo idiota rico. ¿Qué es lo que marca la diferencia? Da vuelta a la página para ver la respuesta.

El que sigue leyendo es el LCQ.

El que ya está actuando o va a actuar es el próximo idiota rico.

¿Cuál de los dos eres tú?

Treinta acciones de idiota rico

A continuación hay treinta acciones inmediatas por seguir, tomadas de todos los capítulos de este libro. ¡Realiza una diaria y en apenas treinta días estarás más cerca de tu sueño de idiota rico!

1. Diseña tu vida perfecta… ése es tu mapa.
2. Crea tu primer equipo de ensueño.
3. Perdona a los demás. Perdónate a ti.
4. Practica dar y recibir.
5. Practica dar generosamente.
6. Expresa gratitud por todo lo que tienes y todo lo que tendrás.
7. Cree en la abundancia del universo.
8. Escribe tu meta única.
9. Hazte un cheque de riqueza.

10. Escribe tu misión.

11. Vive como rico hoy.

12. Haz una pared de riqueza.

13. Busca dinero "encontrado".

14. Aléjate de las personas tóxicas que hay en tu vida.

15. Haz un inventario de tus activos.

16. Haz un inventario de tus pasivos.

17. Haz una lista de tus deudas malas.

18. Haz un plan para pagar tus deudas malas.

19. Haz una lista de tus deudas buenas.

20. Haz un plan para adquirir más deudas buenas.

21. Si rentas, compra tu primera casa. Si eres dueño de tu casa, compra la siguiente.

22. Compra un fondo de inversión.

23. Escribe un plan de negocios simple.

24. Escribe lo que te gusta hacer... y luego hazlo.

25. Decide el resultado que quieres.

26. Escribe tres actividades que harás todos los días para alcanzar tu meta.

27. Comprométete con una fecha realista.

28. Haz un horario y síguelo.

29. Haz una lista de bendiciones y da gracias por cada una.

30. Diviértete.

¿Qué hacer a continuación? ¡Visita mi sitio de Internet, www.GetRichWithRobert.com y descúbrelo!

¡Ya eres rico!

Si la gente que se preocupa por sus pasivos pudiera pensar en las riquezas que poseen, dejarían de preocuparse. ¿Venderías tus dos ojos por un millón de dólares, o tus piernas, o tus manos, o tus oídos? Suma lo que tienes y descubrirás que no los venderías ni por todo el oro del mundo. Las mejores cosas de la vida son tuyas, si puedes apreciarlas.

DALE CARNEGIE

YA TIENES RIQUEZAS

Ahora, déjame explicarte esto. Puede que no te sientas rico en este preciso momento, porque tienes responsabilidades y una renta o una hipoteca y tenencias del coche y todas esas cosas, pero ve el panorama general. Ya sabes, en el espacio de la gratitud nada más puede existir.

SÉ AGRADECIDO POR LO QUE TIENES

Si eres agradecido por lo que tienes, te sentirás rico y el universo te sonreirá. La realidad es que verdaderamente ya eres rico.

Piénsalo. Muchos de ustedes puede que no tengan la oportunidad que yo he tenido de viajar por todo el mundo. Puede que no hayan visto cómo viven muchas personas. La terrible realidad es que el mundo está lleno de gente que no tiene nada. El número de familias que tratan de sobrevivir con unos cuantos centavos al día es incomprensible. No tienen comida. No tienen medicinas. No tienen aire acondicionado. No tienen teléfonos celulares. No tienen automóviles, ni tarjetas de crédito, ni libros sobre cómo convertirse en idiotas ricos.

Puede que tú también tengas dificultades. Puede que estés preocupado por tu familia. Puede que estés agobiado, pensando en que a los niños les crecen los pies antes de que puedas comprarles tenis nuevos, pensando que estás viviendo al día, que estás atrasado con la renta y que te está costando una pequeña fortuna llenar el tanque de gasolina. Puede que pienses que *no puedes* hacer nada al respecto. Pero *sí puedes* hacer algo. Puedes estar agradecido por lo que ya tienes. Y al expresar esa gratitud puedes abrirte a recibir aún más regalos.

Haz un inventario de lo que *sí* tienes: comida, techo, ropa, medicinas. Probablemente tienes suficiente comida para desayunar, comer y cenar. Probablemente tienes suficiente dinero como para pasar a Starbucks a comprar un café camino al trabajo. Tienes un empleo y un sueldo. Tienes un techo para cobijarte. Tienes un teléfono celular, una computadora, una televisión, tal vez un iPod, tal vez un reproductor de DVD o una videocasetera. Tienes más de un atuendo en tu clóset y ustedes, mujeres, sé que tienen más que un solo par de zapatos,

¿cierto? ¿Qué más? Probablemente tienes una lavadora y una secadora para lavar la ropa sucia, un lavavajillas para lavar tus platos sucios, un refrigerador para mantener fresca tu comida y un horno de microondas para calentarla. Hay sábanas en tu cama y una alfombra bajo tus pies. El wc jala y la regadera funciona. Te recogen la basura y te destapan las alcantarillas. Tu agua es segura y… bueno ya te diste una idea. Tienes mucho que agradecer, como todos.

Sabes, una de las razones por las que viajo al tercer mundo y realizo obras de caridad es que ponen mi vida en perspectiva. Cuando veo el dolor y el sufrimiento de otras personas sé que no tengo problemas… sólo dones.

Mi sugerencia es que te tomes cinco minutos al día y pienses en las bendiciones que tienes, luego di "gracias" por tener esas bendiciones.

¿Y sabes qué sucederá? Tus propios miedos desaparecerán. No estarás estresado ni deprimido. No estarás de mal humor. Tus preocupaciones y ansiedades desaparecerán. Te sentirás más ligero. Serás más abierto a los bienes que el universo tiene reservados para ti.

La verdadera riqueza no viene de tener dinero, ni acciones, ni bonos, ni bienes raíces. La verdadera riqueza viene de la gratitud por las cosas que realmente cuentan.

Para ser un verdadero idiota rico, tienes que saber y apreciar lo que es realmente importante. Es ese conocimiento el que me hizo el idiota rico sobre el que estás leyendo en este momento.

Lo que me hizo empezar en el camino hacia convertirme en un idiota rico fue la negativa de mi jefe a permitirme tomarme un día libre después del día de gracias para agradecer mis bendiciones y estar con mi familia. Mi jefe preguntó: "Robert,

¿dónde están tus prioridades? Obviamente tus prioridades no están con tu carrera ni con esta empresa". Yo contesté: "Tiene razón. Mi prioridad no es mi carrera. Es mi familia". En ese instante me convertí en un idiota rico y nunca volví la vista atrás.

Ésas son las verdaderas riquezas. Tu familia, tus amigos, tu salud, tu libertad y tu aprecio por lo que ya tienes y por los regalos que están por llegar.

Cada día viene con sus propios regalos. Ábrelos.

RUTH ANN SCHABACKER

INFORMACIÓN ADICIONAL QUE TE AYUDARÁ A MEDIDA QUE RECORRAS EL CAMINO DEL "IDIOTA RICO"

Una forma de saber más sobre los principios discutidos en este libro es visitar mi sitio de Internet:

www.GetRichWithRobert.com

O llamar desde Estados Unidos al: 888-302-8018

Ahí también encontrarás información sobre cómo asistir a los seminarios que imparto con regularidad, eventos que me permiten abordar todos los temas que cubrí aquí, pero en una forma más interactiva que puede resultar útil. A todas luces, he recibido una excelente respuesta al viajar por todo el país durante los últimos años enseñando los principios de los idiotas ricos.

Resulta que estoy de acuerdo con los científicos que creen que cada uno de nosotros tiene un estilo de aprendizaje distinto. Para algunos, aprender de un libro es *la* forma de obtener la información necesaria. Para ese tipo de gente, los libros son invaluables. Después de un inicio difícil en la vida para aprender a leer de manera adecuada, logré considerar los libros de ese modo. Pero algunas personas requieren herramientas de aprendizaje adicionales y por eso siempre estaré comprometido con salir de viaje y ver a la gente cara a cara.

Para quienes disfrutan tanto mis libros como mis seminarios, pero valoran la energía que se genera al ser parte de una comunidad construida en torno a una filosofía del idiota rico, he creado un juego en línea del "idiota rico" que acelerará tu progreso y, lo mejor de todo, dará mucha diversión. Incluso he construido algunos incentivos estupendos para ganar que traerán consigo una buena competencia con tus compañeros de juego.

¡Revísalo! Todo está ahí en el sitio de Internet. Y sigue recorriendo el camino del idiota rico. Un día te despertarás y te darás cuenta de que es momento de mostrarle *a alguien más* cómo hacerlo.

¿Por qué ese idiota es rico y yo no? de Robert Shemin
se terminó de imprimir en julio del 2008 en
Litográfica Ingramex, S.A. de C.V. Centeno 162-1
Col. Granjas Esmeralda, México, D.F.